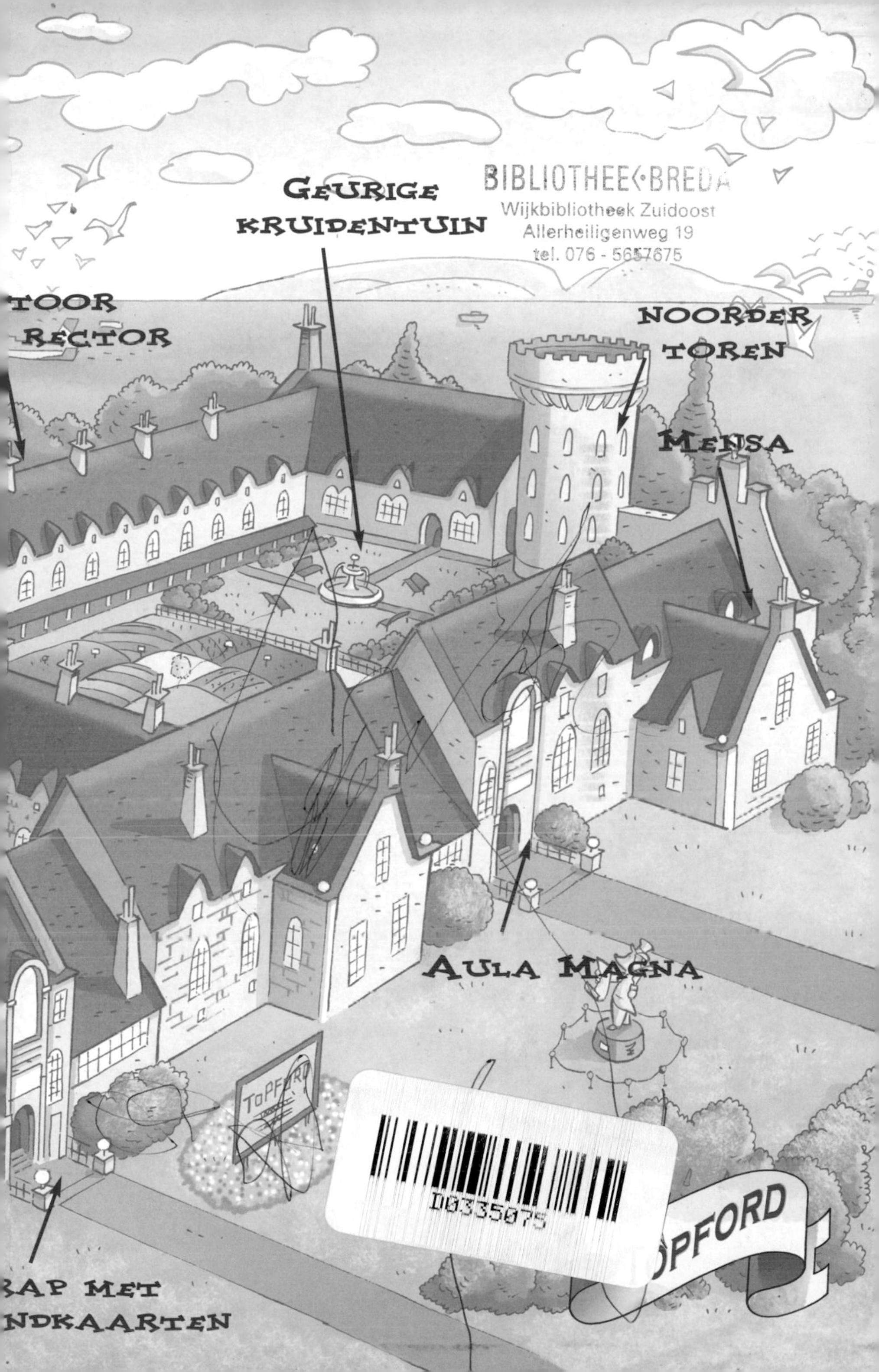
GEURIGE
KRUIDENTUIN
TOOR
RECTOR
NOORDER
TOREN
MENSA
AULA MAGNA
TOPFORD
TOPFORD
RAP MET
NDKAARTEN

Welkom in de wereld van de

Dit boek is van:

Hoi, ik ben Thea!

Ja, ik ben de enige echte Thea Stilton,
de zus van *Geronimo Stilton!*

Ik ben speciaal verslaggeefster bij De Wakkere Muis, de meest gelezen krant van wakker Muizeneiland.
Ik ben gek op reizen en avontuur en ik vind het fantastisch om knagers uit de hele wereld te leren kennen!
Op het Topford College, waar ik vroeger zelf op zat en waar ik nu les geef, heb ik vijf superspeciale muizinnetjes leren kennen: Colette, Nicky, Pamela, Paulina en Violet. Zij zijn heel goede vriendinnen van elkaar en vonden mij zo aardig dat ze hun groepje naar mij hebben genoemd: de Thea Sisters (Engels voor Thea zussen). Ik was natuurlijk zeer vereerd en heb besloten hun avonturen op te schrijven.

De muizenissige avonturen van de...

Nicky

Naam: Nicky
Bijnaam: Nic
Geboorteland: Australië (Oceanië)
Droom: een schoner milieu!
Hobby's en liefhebberijen: natuur en buitenlucht.
Goede eigenschappen: heeft altijd een stralend humeur... als ze maar naar buiten kan!
Minder goede eigenschappen: kan geen seconde stilzitten.
Bijzondere eigenschappen: lijdt aan claustrofobie (wordt bang in afgesloten ruimtes).

Colette

Naam: Colette

Bijnaam: Coco

Geboorteland: Frankrijk (Europa)

Droom: omdat ze erg in de mode is geïnteresseerd, droomt ze ervan modejournaliste te worden!

Hobby's en liefhebberijen: de kleur roze.

Goede eigenschappen: is bijzonder ondernemend en behulpzaam.

Minder goede eigenschappen: komt áltijd te laat!

Bijzondere eigenschappen: als ze zenuwachtig is, gaat ze haar nagels verzorgen of haar haar wassen en in model
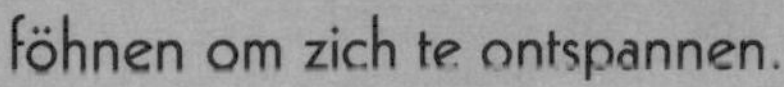
föhnen om zich te ontspannen.

Violet

Naam: Violet

Bijnaam: Vivi

Geboorteland: China (Azië)

Violet

Droom: een beroemde violiste worden.

Hobby's en liefhebberijen: studeren! Ze is een echte intellectueel!

Goede eigenschappen: is erg precies en vindt het heerlijk om nieuwe dingen te ontdekken!

Minder goede eigenschappen: is snel op haar teentjes getrapt en kan er niet tegen om voor de gek te worden gehouden! Als ze te weinig slaap krijgt, kan ze zich niet meer concentreren!

Bijzondere eigenschappen: ontspant zich door het luisteren naar klassieke muziek onder het genot van een kopje groene thee met fruitsmaak.

Paulina

Naam: Paulina

Bijnaam: Pilla

Geboorteland: Peru (Zuid-Amerika)

Droom: wetenschapster worden!

Hobby's en liefhebberijen: reizen en mensen uit de hele wereld leren kennen. Ze is gek op haar zusje Maria.

Goede eigenschappen: heeft een groot hart en staat altijd voor anderen klaar.

Minder goede eigenschappen: is soms wat in zichzelf gekeerd en... een vreselijke knoeipot.

Bijzondere eigenschappen: de computer kent geen geheimen voor haar! Het lukt haar om zelfs de moeilijkste zaken op te lossen door te zoeken op internet.

Pamela

Naam: Pamela
Bijnaam: Pam
Geboorteland: Tanzania (Afrika)
Droom: sportjournaliste of automonteur worden.
Hobby's en liefhebberijen: pizza, pizza en nog eens pizza! Bij het ontbijt, tussen de middag en bij het avondeten!
Goede eigenschappen: al lijkt ze soms behoorlijk bazig, eigenlijk is ze de vredestichtster van de groep! Ze heeft een ontzettende hekel aan ruzie!
Minder goede eigenschappen: is onnadenkend en impulsief!
Bijzondere eigenschappen: geef haar een schroevendraaier en een Engelse sleutel en ze repareert alles wat kapot is!

Wil jij ook een Thea Sister zijn?

Schrijf hier je naam!

Naam: ______________________

Bijnaam: ______________________

Geboorteland: ______________________

Droom: ______________________

Hobby's en liefhebberijen: ______________________

Goede eigenschappen: ______________________

____

____

Minder goede eigenschappen: ______________________

Bijzondere eigenschappen: ______________________

____

Plak hier
je foto!

Gebaseerd op een idee van Elisabetta Dami.

Oorspronkelijke titel: Il mistero della bambola nera
Tekst: Thea Stilton
Coördinatie tekst: Sarah Rossi (Atlantyca S.p.A.)
Coördinatie redactie: Patrizia Puricelli en Serena Bellani
Coördinatie illustraties: Flavio Ferron
Redactie Italiaanse editie: Red Whale, Katja Centomo *en* Francesco Artibani
Eindredactie Italiaanse editie: Flavia Barelli *en* Mariantonia Cambareri
Supervisie tekst: Flavia Barelli
Research onderwerp: Francesco Artibani *en* Flavia Barelli
Referentie-illustraties: Manuela Razzi
Illustraties: Alessandro Battan, Elisa Falcone, Claudia Forcelloni, Michele Frare, Daniela Geremia, Roberta Pierpaoli, Arianna Rea, Maurizio Roggerone *en* Roberta Tedeschi
Inkleuring: Tania Boccalini, Alessandra Bracaglia, Ketty Formaggio, Elena Sanjust *en* Micaela Tangorra
Ontwerp: Paola Cantoni
Met medewerking van Yuko Egusa

Vertaling: Pauline Akkerhuis

ISBN 978 90 8592 105 9

ISBN 978 90 5461 499 9 D/2010/6186/16

NUR 282/283

Druk: Drukkerij Slinger, Alkmaar (NL)

Thea Stilton

Het geheim van de zwarte pop

Hallo vrienden en vriendinnen!

Willen jullie de Thea Sisters helpen bij dit nieuwe avontuur? Het is echt niet moeilijk: het enige wat je hoeft te doen is alle aanwijzingen opvolgen! Als je dit vergrootglas ziet, is het opletten geblazen: op die bladzijde staat een belangrijke tip. Tussendoor zetten we alles op een rijtje zodat we niets vergeten.
Zijn jullie er klaar voor?
Het mysterie wacht op jullie!

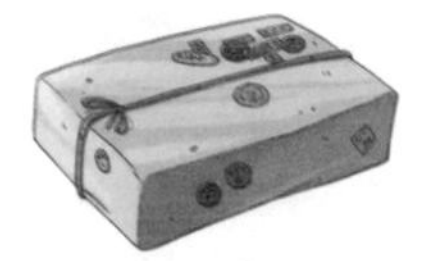

Een bijzonder cadeau

Ik liep al de hele ochtend rusteloos HEEN en WEER. Ik verwachtte namelijk een superbelangrijk postpakket. Maar waar bleef die postbode toch?

Voor mijn werk bij De Wakkere Muis ben ik vaak op reis en ik sta altijd klaar om op AVONTUUR te gaan... maar geduld is nooit mijn sterkste punt geweest!

Na een eeuwigheid arriveerde Pallieter, de postbode die me vaak berichten bezorgt van mijn vriendinnen, de Thea Sisters. Sinds we elkaar hebben leren kennen op een cursus avontuurlijke journalistiek, noemen Colette, Pamela, Nicky, Violet en PAULINA zich de Thea Sisters, ter ere van onze vriendschap. En ik ben muizentrots op hen!

Ik rende naar de voordeur en gooide hem open, nog vóór Pallieter de kans kreeg om aan te bellen.

'Eindelijk!!' riep ik stralend.

De arme knager **SCHROK** zich een hoedje en stotterde: 'Me-mevrouw Thea, ik kom u een pak...'

'Een pak brengen, ja ja, ik weet het, ik weet het!' viel ik hem **ongeduldig** in de rede.

Pallieter leek verbijsterd: 'Hm... ja, maar u weet vast niet dat het helemaal uit...'

'Uit **JAPAN** komt, weet ik al!' **ONDERBRAK** ik hem. 'En ik weet ook wat erin zit...'

RUSLAND
CHINA
HOKKAIDO
NOORD-KOREA
TOHOKU
CHUBU
KANTO
ZUID-KOREA
CHUGOKU
TOKIO
KYUSHU
KINKI (OF KANSAI)
SHIKOKU

Japan is een archipel (eilandengroep) ten oosten van het vasteland van Azië. Het bestaat uit vier grote eilanden en duizenden kleine eilandjes. Je kunt er prachtige bossen, bergen, meren en vulkanen vinden. De hoofdstad, **Tokio,** bevindt zich op het grootste eiland van de archipel, Honshu. Japan telt meer dan 120 miljoen inwoners, waarvan er 12 miljoen in Tokio wonen! Het land heeft acht verschillende regio's, namelijk (van noord naar zuid) **Hokkaido, Tohoku, Kanto, Chubu, Kinki (of Kansai), Chugoku, Shikoku** en **Kyushu.** Hokkaido, Shikoku en Kyushu zijn eilanden. De andere vijf regio's liggen op het eiland Honshu.

De muizinnen hadden me namelijk al laten weten dat er een speciaal CADEAU aankwam en dat ze me voor een groot zomerfeest in Japan verwachtten!

Ik popelde om ze in m'n poten te sluiten, dus nam ik **haastig** afscheid van Pallieter, pakte mijn al ingepakte koffer en snelde naar het vliegveld. Maar wat zat er nou in dat pak? Lees dit nieuwe, meeslepende avontuur van de Thea Sisters en je weet het!

Het begon allemaal met een speciale, door het TOPFORD COLLEGE georganiseerde reis.

Japan, we komen eraan!

Op een stralende dag in mei vloog er een vliegtuig uit Muizeneiland door de blauwe Japanse hemel. Het Topford College had namelijk een UITWISSELINGSREIS georganiseerd met het beroemde Yoshimune College van Kyoto. De Thea Sisters hadden zich meteen aangemeld voor de groep die naar Japan zou VERTREKKEN. De studenten van Topford hadden zich maandenlang op de reis voorbereid en waren laaiend enthousiast! Na een paar tussenlandingen bereikten ze het vliegveld van Osaka. Van daaruit zouden ze doorreizen naar Kyoto, een van de *oudste* steden van Japan.

'Dit worden drie **muizenissige** maanden!' riep Pam uit, terwijl ze de vliegtuigtrap afliepen.
'Ik wil hier al zo lang naartoe!' verzuchtte Nicky, die naast haar liep.
Paulina, *ACHTER* hen, stond met een ernstig gezicht in de *Groene Muizen**-gids over Japan te lezen: 'We moeten wel heel goed ons best doen! We gaan dezelfde lessen en cursussen volgen als de Japanse *studenten*...'

* Groep muizen die zich inzet voor het milieu en waar Nicky en Paulina lid van zijn.

KYOTO

Regio: Kinki.
Provincie: Kyoto.
Bevolking: meer dan 1.400.000 inwoners.

In Kyoto staan gi-ga-gantisch veel wereldberoemde gebouwen en monumenten. Tot 1868 was Kyoto de hoofdstad van Japan (daarna werd het Tokio) en hier stond dan ook het paleis van de keizer.

SCHATTEN VAN VROEGER...

Nijo-jo (paleis van Nijo)

Dit paleis is rond 1600 gebouwd en is een muizenissig goed voorbeeld van de traditionele Japanse bouwkunst. Doordat het paleis vaak in brand heeft gestaan, moesten sommige stukken opnieuw gebouwd worden, maar je kunt er nog steeds de mooie Japanse bouwkunst van vroeger bewonderen, zoals de typische beschilderde schuifdeuren en de prachtige houten vloeren. Deze vloeren zijn zo gelegd dat ze piepen als een nachtegaal als er iemand overheen loopt. Zo kon er nooit iemand ongemerkt binnensluipen.

Kinkakuji (Gouden Paviljoen)

Dit gebouw stamt uit het einde van de veertiende eeuw. Er ligt een meertje naast waarin het wordt weerspiegeld. Het wordt het Gouden Paviljoen genoemd omdat het helemaal (op de laagste verdieping na) met bladgoud is bedekt!

    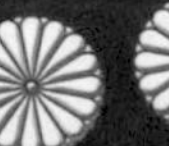      

Kyoto is opgericht in 794 na Christus door Keizer **Kammu,** en was de residentie van de keizer tot 1868, toen de hoofdstad werd verplaatst naar Tokio. Zelfs nu kun je het imposante keizerlijke paleis, het zogenaamde **Kyoto Gosho,** bezoeken. Het ligt in het centrum van de stad en is omgeven door een groot park.

Kyoto heeft een lange geschiedenis en is rijk aan perfect bewaard gebleven monumenten Het is een van de populairste toeristische bestemmingen in Japan.

Karesansui (droge of rotstuinen)

In deze bijzondere tuinen zijn de stenen en het mos zo neergelegd dat er een vredige en harmonieuze sfeer heerst. De stenen vormen een soort eilandjes op zand of fijn grind dat in golvende lijnen en cirkels wordt geharkt.

... EN VAN NU

Het station van Kyoto

Vanuit het megamoderne station van Kyoto (ontworpen door een beroemde Japanse architect) vertrekken elke dag duizenden treinen, metro's en bussen. Maar je kunt er ook theaters, restaurants en winkels vinden!

'Wees maar niet bang, ik help jullie wel!' stelde Violet haar gerust. 'Als kind heb ik Japans geleerd en ik spreek het nog wel een beetje!'
'Bedankt Violet, of liever gezegd... arigato*!' kwetterde Colette, terwijl ze een diepe buiging maakte.
Meneer Vonkje en mevrouw Geitenkaas, de begeleiders van de groep, deelden onvermoeibaar adviezen uit. 'In het begin zal het jullie en jullie Japanse medestudenten niet meevallen om

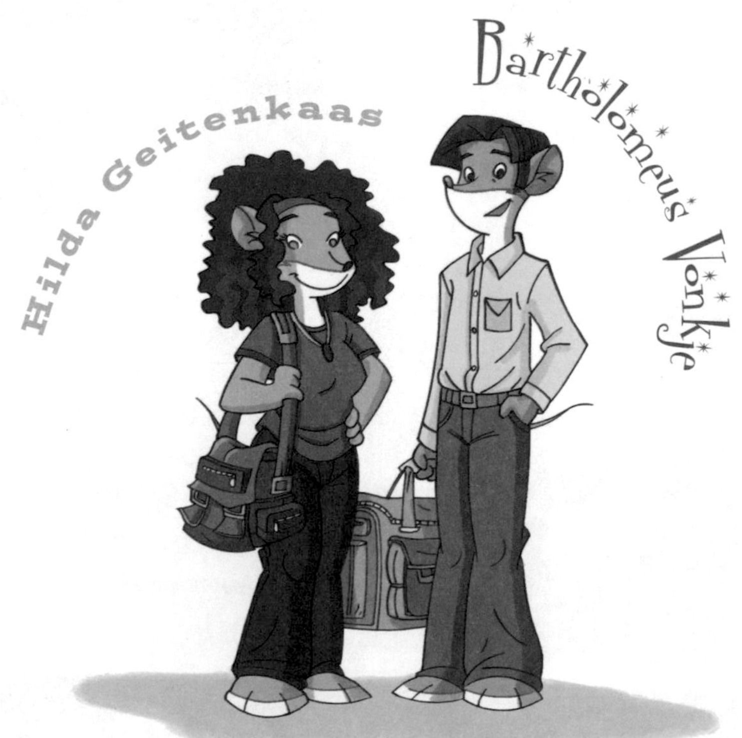

*Japans voor 'bedankt'

vriendschap te sluiten, omdat jullie niet dezelfde taal spreken,' waarschuwde meneer Vonkje, 'maar als jullie eenmaal een tijdje samen les hebben gehad, komt dat vast wel goed!'

Nadat ze hun bagage hadden opgehaald, VERLIETEN de studenten het vliegveld. Er stond al, speciaal voor hen, een bus met het wapen van het Yoshimune College klaar. Deze zou hen naar Kyoto brengen. Het was nog geen uur RIJDEN.

Ze kregen een, op z'n zachtst gezegd, plechtige ontvangst op het Yoshimune College. Midden in de tuin stond de rector, meneer Nishikawa, keurig in het pak op hen te wachten. Achter hem stonden alle leraren en leerlingen van het college opgesteld. Het zag er INDRUKWEKKEND uit; de studenten van Topford hielden hun adem in. Niemand wist goed wat er van hen verwacht werd.

Totdat rector Nishikawa GLIMLACHEND op de leraren van TOPFORD afliep, een buiging voor hen maakte, en hen warm de hand schudde: 'Uit naam van alle leraren en studenten van het Yoshimune College:

WELKOM!'

De Japanse muizen en muizinnen riepen in koor:

'HOERA!'

Vervolgens maakten ze zich snel uit de keurige rijen los om kennis te maken met de gaststudenten. De kennismaking tussen de

studenten van de twee colleges was heel levendig: ze WISSELDEN glimlachjes, namen en cadeautjes uit. Als het met woorden niet lukte, vonden de knagers direct andere manieren om te COMMUNICEREN.

Uit tasjes en zakken werden MP3-SPELERS, fototoestellen en piepermoderne gsm's tevoorschijn getoverd…

Rector Nishikawa KNIPOOGDE naar zijn collega's van Topford: 'Het is echt waar: jonge knagers zijn allemaal hetzelfde, waar ze ook vandaan komen!'

De buiging is een typisch Japanse manier om beleefd te groeten of je voor te stellen. Maar niet alle buigingen betekenen hetzelfde: een Japanner kan er veel verschillende dingen mee uitdrukken, zoals bijvoorbeeld verontschuldiging, dankbaarheid of respect. Hoe dieper je buigt, hoe meer respect je toont voor de muis die tegenover je staat. Bij vrienden onder elkaar is het dus genoeg als je een mini-buiginkje maakt, maar als iemand zijn excuses wil aanbieden moet hij een echt diepe buiging maken!

Een van ons!

Na dit **VROLIJKE** welkom was het moment aangebroken om de gasten hun kamers te wijzen.

Een *knappe* muizin in schooluniform kwam bij de Thea Sisters staan. Ze maakte een KLEIN buiginkje en zei: 'Konnichiwa!* Ik ben Kumi en zal jullie gids zijn hier op het college!'

Ze had een hele **lieve** en oprechte glimlach: de Thea Sisters vonden haar meteen aardig!

'Aangenaam kennis te maken, Kumi!' zei Nicky, terwijl ze haar een STEVIGE poot gaf. 'Ik ben Nicky en dit zijn Pamela, Violet…'

* Japans voor "Hoi".

Maar nog voor ze uitgesproken was, maakte Kumi de opsomming af: '...en dat moeten dus Colette en Paulina zijn!'

De muizinnen keken elkaar **STOMVERBAASD** aan: kenden de studenten van Yoshimune zelfs de namen van hun gasten uit hun hoofd?!

Kumi verklaarde **DIRECT:** 'Ik ken jullie

namen omdat jullie de Thea Sisters zijn! Ik kon haast niet wachten om jullie persoonlijk te leren kennen!'

Bij het zien van de verbijsterde uitdrukking op de snuiten van de muizinnen voegde Kumi toe: 'Dankzij de boeken van Thea Stilton ken ik al jullie avonturen: ze is echt een muizenissige schrijfster en ik ben een fan van jullie geworden! Maar kom nu mee, dan laat ik jullie je kamer zien…'

Terwijl ze door zalen en gangen liepen KLETSTE Kumi vrolijk verder: 'Jullie avontuur in Alaska vond ik echt heel spannend!* En dat in Peru, met die REUZENCONDOR!'**

Pam bleef opeens stilstaan. Ze had ineens een idee gekregen: 'Wel alle geblokkeerde motorblokken! Als Kumi ons zo goed kent… waarom benoemen we haar dan niet tot erelid van de Thea Sisters!'

'JAAAAAAAAAAAAAAAAAAAAAA'

* Het ijzingwekkende geheim

** De verborgen stad

Ze waren het er allemaal roerend mee eens en verdrongen zich om hun nieuwe vriendin, dic hen BLIJ en ontroerd aankeek.

Zomerfeest!

De gaststudenten hadden de rest van de DAG vrij om aan de nieuwe omgeving te wennen. De Thea Sisters vonden het leuk om de middag met hun nieuwe vriendin Kumi door te brengen. Violet vroeg NIEUWSGIERIG: 'Jij weet alles over ons: vertel ons nu eens iets over jezelf!'
'Je hebt gelijk!' gaf Kumi toe. 'Maar als jullie me echt willen leren kennen... kom dan met me mee!'
Ze VOLGDEN haar door verlaten lokalen en gangen, tot ze voor een glanzend rode deur stilstond. Kumi legde haar poot op de deurknop, en terwijl ze de deur wijd opengooide zei ze zachtjes, met een klein stemmetje:

    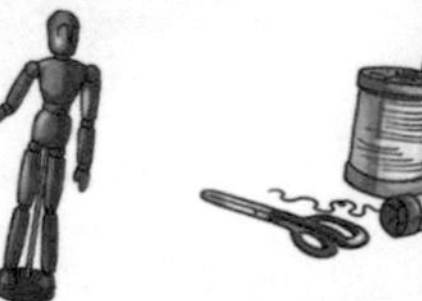

'Kijk, dit is mijn lievelingsplek...'
De muizinnen liepen de ruimte binnen: een zaal vol veelkleurige schilderijen aan de muren, schildersspulletjes, paspoppen die met allerlei stoffen bedekt waren... kortom, een vreselijke, maar VROLIJKE chaos!
Kumi verklaarde: 'Dit is de Club voor Kunst en Dans. We geven CURSUSSEN en houden ons bezig met het organiseren van tentoonstellingen, concerten en voorstellingen... en dit jaar ben ik de presidente van de club!'
De Thea Sisters KEKEN sprakeloos om zich heen.
'Ik heb al sinds mijn kindertijd les in de traditionele Japanse dansen,' ging Kumi verder, 'maar ik doe ook ballet en moderne dans. Ik droom ervan om ook de danskunsten van andere landen naar Japan te brengen en zo, door middel van de dans, alle volken van de wereld met elkaar te verenigen!'

ZOMERFEEST!

Haar OGEN straalden terwijl ze sprak, en de Thea Sisters begrepen dat Kumi echt een heel speciale knaagster was.

Plotseling stormde er een andere studente binnen: 'Kumi! Eindelijk heb ik je gevonden!'

Pas toen merkte ze de andere muizinnen op en zei, een beetje KOEL: 'O, zijn zij er ook...'

Kumi had niet in de gaten dat het GEZICHT van haar vriendin ineens betrok, en stelde de Thea Sisters en Sakura aan elkaar voor.

ZOMERFEEST!

De muizin glimlachte *beleefd,* maakte een heel klein buiginkje en richtte toen al haar aandacht weer op Kumi: 'Ik loop al uren naar je te zoeken! Wij tweeën moeten voor de Yosakoi aan de slag, WEET JE NOG WEL?'

'O ja, de Yosakoi!' riep de muizin uit, zich op het voorhoofd **slaand**. En tegen de Thea Sisters zei ze: 'Wat zou ik jullie dat graag willen laten zien!'

Sakura leek **VERBAASD:** 'Maar... zij mogen niet...'

'Natuurlijk wel! Waarom niet?!' zei Kumi resoluut.

Op dat moment kon Colette haar nieuwsgierigheid niet bedwingen: 'Sorry hoor… maar wat is dat Josi-huppeldepup?'
Sakura wierp haar een boze blik toe, maar Kumi BARSTTE in lachen uit: 'Dat is een geweldig zomerfeest! Ieder jaar verzamelen zich honderden knagers in Kôchi, op het eiland Shikoku, om daar in de straten te dansen!'
Sakura voegde trots toe: 'Ons college heeft vanaf de eerste keer meegedaan en dit jaar verzorgen Kumi en ik de choreografie en de kostuums.'

CHOREOGRAFIE

Dit is het "ontwerpen" van een ballet, dus het bedenken van een serie van danspassen en bewegingen op muziek. Het woord is afgeleid van twee Oudgriekse woorden: choreia, dat "dans" betekent en graphia, ofwel "schrift".

YOSAKOI MATSURI

In Japan worden er bij de wisseling van de seizoenen leuke, kleurige feesten georganiseerd, die **matsuri** worden genoemd. Elke regio heeft zijn eigen manier om feest te vieren. Op het eiland Shikoku bijvoorbeeld vindt, sinds 1954, in augustus de **Yosakoi Matsuri** plaats. Tijdens dit feest trekken grote groepen, vaak schoolgenoten of collega's, dansend door de stad. Ze dansen de traditionele Yosakoi Naruko op een melodie met de naam Yosakoi Bushi. Het ritme wordt aangegeven met speciale castagnetten, **naruko**, die vroeger door de boeren gebruikt werden om de kraaien van hun akkers te verjagen.

Tegenwoordig mag iedere groep zijn eigen kostuum, muziek en choreografie bedenken waarmee ze aan de Yosakoi meedoen. Er gelden maar drie regels: groepen mogen uit maximaal 150 personen bestaan, iedereen moet een naruko in zijn handen hebben en de basis van de muziek moet altijd de Yosakoi Bushi zijn.

WIL JE NOG MEER MUIZENISSIGE JAPANSE MATSURI LEREN KENNEN?
GA DAN SNEL NAAR BLADZIJDE 186!

ZOMERFEEST!

'O, mag ik ook meehelpen?' smeekte Colette.

'Please please please!!'

Kumi knikte enthousiast: 'Ja hoor! Jij zou ons met de kostuums kunnen helpen…'

'En ik zou kunnen meespelen op de viool!' stelde Violet voor.

Nicky begon te springen van opwinding.

'Yeahhh! En ik vraag een gitaar te leen, zodat we een duetje kunnen spelen, Vivi!'

'En ik ken een paar HIP-HOP-MOVES* waar jullie steil van achterover zullen slaan. Als jullie willen kan ik ze jullie leren!' zei Pam **enthousiast.**

In een mum van tijd hadden de muizinnen een plan opgezet: diezelfde middag nog zouden ze met elkaar de stad in gaan om alles te kopen wat ze voor het feest nodig hadden. Alleen Sakura leek niet zo blij met deze ontwikkelingen. Mokkend zonderde ze zich af

* Hiphop is een stroming in de popmuziek die oorspronkelijk uit New York afkomstig is.

ZOMERFEEST!

na een smoes verzonnen te hebben.
Minder dan een uur later klopte Kumi op de deur van de kamer van de Thea Sisters.
Toen Paulina de deur opendeed, herkende ze haar nauwelijks!
'Maar... maar... Kumi, BEN JIJ HET ECHT?'
Kumi had namelijk haar schooluniform verwisseld voor hippe, kleurrijke kleren en haar haren

KUMI, BEN JIJ HET ECHT?

KUMI, BEN JIJ HET ECHT?

versierd met gekleurde lokken en licht-gevende speldjes.
Colette rende op haar af om haar van dichtbij te bewonderen.
'Wow! Kumi, je ziet er fantastisch uit! Waar heb je die laarzen gekocht? Ze zijn ge-wel-dig!'
'Nou, eh, dank je,' zei Kumi blozend. 'Het SCHOOLUNIFORM is prima voor op school, maar in onze vrije tijd mogen we ons kleden zoals we zelf willen!'
Pam was **enthousiast:** 'O, het gaat me hier steeds beter bevallen! Als het eten ook lekker is, kan ik nog wel meer dan drie maanden van mijn geliefde pizza's afzien!'
De muizinnen glimlachten gelukkig: beter dan zo kon hun Japanse avontuur niet beginnen!

Een geheimzinnig telefoontje

Die eerste middag vloog voorbij, maar de volgende dagen waren erg zwaar: 's ochtends volgden de Thea Sisters de lessen samen met de studenten van het Yoshimune College. Daarna gingen ze snel Kumi helpen.

Ook Sakura deed aan de **VOORBEREIDINGEN** voor het Yosakoi festival mee, maar zij leek niet zo blij met de aanwezigheid van de nieuwe muizinnen...

Na twee weken van studie besloten de *leraren* om de jonge knagers een korte

vakantie te gunnen: vier dagen rust en pret, samen met hun Japanse vrienden!

'Sakura en ik hebben alles al georganiseerd. Het worden vier onvergetelijke dagen, dat zullen jullie zien!' beloofde Kumi haar nieuwe vriendinnen.

Ze begonnen bij de stoombaden van Kurama, bij Kyoto in de buurt, met een overnachting in een echte Japanse *Onsen Ryokan* (een traditioneel Japans hotel met stoombaden)!

Ze hadden voor de volgende ochtend afgesproken bij het station van Kyoto.

ONSEN RYOKAN

Een **Onsen** is een warmwaterbron. Het water is rijk aan mineralen; dat is de verzamelnaam voor allerlei stoffen die in de vrije natuur voorkomen, bijvoorbeeld metalen zoals koper of zilver. In Japan zijn meer dan 3000 warmwaterbronnen. Japanners vinden het heerlijk om hierin een bad te nemen. Ze komen er dan helemaal verfrist en ontspannen weer uit. Soms hoort er een klein hotel bij, een **Ryokan.**

'Jeetje, dit lijkt meer op een stad dan op een STATION!' riep Paulina uit terwijl ze verrukt om zich heen keek.

Roltrappen vol treinreizigers, naar boven en naar beneden, van de ene verdieping naar de andere, restaurants, kantoren en zelfs... een THEATER!

Het dak van staal en glas weerkaatste de BEWEGINGEN en het licht: het was net alsof ze in de toekomst waren gelanceerd!

Sakura moest Paulina en Nicky tot de orde roepen, omdat ze FOTO'S bléven maken: 'Als jullie niet opschieten missen we de trein nog!!'

De reis duurde niet langer dan dertig minuten, maar zodra ze de stad uit waren, veranderde het UITZICHT uit de treinraampjes: het glas en cement maakten al snel plaats voor machtige groene BERGEN met gekleurde vlekken van BLOEIENDE struiken.

Pam kon haar snuit niet van het raam houden: 'Nu lijkt het bijna alsof we op een andere planeet zijn!'

'Je hebt gelijk, Pam!' verklaarde Kumi. 'Japan is een land van uitersten; we houden van de mooie dingen van vroeger en de TRADITIES van ons land, maar richten onze blik ook op de *toekomst!*'

Toen ze Kurama bereikten werd hun verbazing nog groter: een *sprookjesachtig* stadje, met kleurige straten, vol schattige winkeltjes en houten huisjes van twee verdiepingen. Ze hadden voor die nacht weer een kamer gereserveerd in een *Onsen Ryokan,* met buitenbad.

Binnen de kortste keren bevonden ze zich allemaal in het warme water, waarvan de stoom opsteeg naar een al ROOD kleurende hemel. Omringd door de rust van het bos ontstond er al snel een ontspannen sfeer. De muizinnen kletsten er ONBEZORGD op los. Direct na het bad kregen ze een overvloedig Japans maal voorgeschoteld in een van de zaaltjes van het hotel. Ze waren nog niet klaar met eten, of Kumi's gsm ging af: de muizin

keek op het schermpje, en

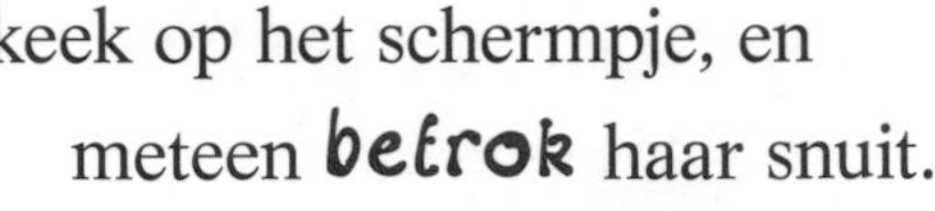

meteen **betrok** haar snuit. Ze verontschuldigde zich bij haar vriendinnen en verliet gehaast het zaaltje voor ze opnam. Colette volgde haar met haar blik en merkte toen op: 'Hier klopt iets niet, muizinnen!'

'Inderdaad,' verklaarde Sakura, 'maar daar heeft Kumi het blijkbaar niet *met jullie* over gehad...'

Het marionetten-theater

Sakura verklaarde (stiekem in haar *sas* omdat zij iets over Kumi wist wat de Thea Sisters niet wisten): 'Jullie weten waarschijnlijk niet dat Kumi zich zou willen inschrijven op de speciale **dans**- en theaterschool van Parijs…'

'Dat weten we wel!' onderbrak Colette haar een beetje **GEÏRRITEERD**.

'Ze heeft mega-veel talent en we weten zeker dat het haar gaat lukken!' voegde Paulina toe.

Sakura knikte, en zei toen *ernstig*: 'Maar jullie weten vast en zeker niet dat haar vader een **GROTE** meester van het Bunraku-theater is en per se wil dat Kumi de familietraditie voortzet…'

'Hm, Bunraku-theater is poppentheater!' wist Violet zich te herinneren.

BUNRAKU

Een **Japanse** vorm van theater uit de zeventiende eeuw. Het wordt ook wel **ningyo joruri** genoemd: *ningyo* is Japans voor "pop" of "marionet" en *joruri* staat voor "verhalend zingen" onder begeleiding van een snaarinstrument, de **shamisen.** Ieder Bunraku-gezelschap bestaat uit marionettenspelers, een shamisen-speler en een verteller. De poppen worden heel zorgvuldig gemaakt en zijn ongeveer half zo groot als een mens. Hierdoor zijn er meerdere knagers nodig om ze te bespelen.

DE MARIONETTEN VAN HET BUNRAKU

1. Hoofd
2. Schouders
3. Armen
4. Romp
5. Bamboe ring die de heupen vormt
6. Touwtjes
7. Benen

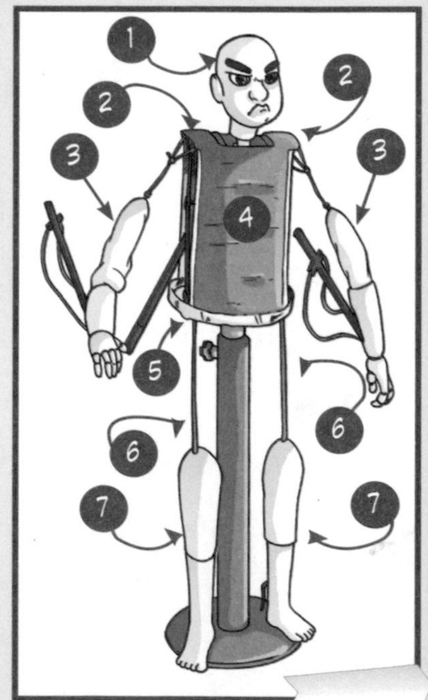

HET JAPANSE POPPENTHEATER

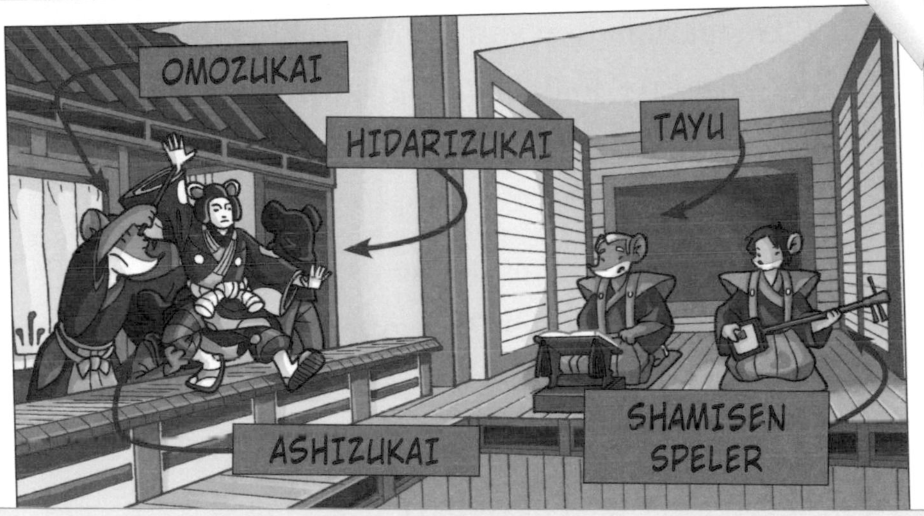

De belangrijkste marionettenspeler, de zogenaamde **omozukai,** beweegt het hoofd en de rechterarm van de pop. De eerste assistent, of **hidarizukai,** beweegt de linkerarm en de tweede assistent ten slotte, de **ashizukai,** beweegt de benen of de lange kostuums van de poppen. De omozukai is de enige die zijn snuit mag laten zien: de assistenten verbergen hun snuit onder een kap. De verteller, de **tayu,** heeft de belangrijkste rol. Hij vertelt het verhaal "zingend" op de muziek van de **shamisenspeler.** De tayu moet in staat zijn om met zijn stem zowel de sfeer van het theaterstuk als alle verschillende personages en hun gevoelens te vertolken. Andere traditionele vormen van Japans theater zijn: het **Kabuki,** het **Noh** en het **Kyogen.** Op bladzijde 183 kun je er meer over lezen!

'Bedoel je met marionetten, voor kleine kinderen?!' vroeg Pam stomverbaasd.
'De marionetten van het Bunraku zijn heel bijzonder,' verduidelijkte Violet. 'Ze zijn heel groot en er zijn drie knagers voor nodig om ze te laten BEWEGEN!'
Sakura keek de muizinnen spottend aan terwijl ze glimlachte: 'Het Bunraku gaat boven jullie pet: het is een antieke kunstvorm, uniek op de wereld!'
'We weten zeker dat Kumi een diep respect heeft voor de **TRADITIES**,' zei Nicky een beetje boos. 'Maar haar dromen zijn zeker zo belangrijk!'
Sakura antwoordde **OPGEWONDEN:** 'En denken jullie dat ik dat niet weet?! We hebben al wel duizend keer geprobeerd haar vader tot rede te brengen, maar hij heeft besloten dat Kumi net als hij *omozukai* moet worden.
Denk maar niet dat jullie hem zo maar even op andere gedachten kunnen brengen.'

Na dit gezegd te hebben draaide ze zich om en verliet ze **PARMANTIG** de ruimte.

Pam barstte los: 'Oké, misschien kunnen we haar vader niet op andere GEDACHTEN brengen, maar we kunnen wel al het mogelijke doen om Kumi te **steunen!**'

'Je hebt gelijk, Pam,' beaamde Nicky, 'waar zijn vriendinnen anders voor?!'

Shinkansen!

De volgende dag gingen de muizinnen vroeg op pad. Bestemming: **TOKIO!**
Ze reisden met de beroemde **TREIN** van de *Shinkansen,* de "Super Express".
Aan de slanke en **piepermoderne** vorm van de trein was meteen al te zien dat

SHINKANSEN

De Japanse hogesnelheidstrein heet **Shinkansen.** Zijn Super Express treinen kunnen een snelheid van **300 kilometer per uur** halen (bijna net zo snel als een formule-1 auto dus!). Ze zorgen voor een supersnelle verbinding tussen de belangrijkste Japanse steden.
Sommige treinen hebben speciale namen: **Nozomi** (hoop), **Hikari** (licht) en **Kodama** (zo worden bepaalde bosduiveltjes in Japan genoemd).

hij was gemaakt om met een ONGELOFELIJKE snelheid over de rails te stuiven. Hij zou er dan ook maar 2 uur en 20 minuten over doen om de vriendinnen van Kyoto naar Tokio brengen (= vierhonderd kilometer)!!
Paulina las in haar onafscheidelijke Groene Muizen gids: 'Onze trein heet *Nozomi,* wat "HOOP" betekent!'
Kumi zag de verbaasde uitdrukking op Pamela's snuit en voegde knipogend toe: 'Wees maar niet bang hoor, Pam: het is de snelste trein van allemaal en altijd STIPT op tijd!'
'Dan hadden ze hem beter "zekerheid" kunnen noemen in plaats van "hoop"!' vond Pam.
Ze BARSTTEN allemaal in lachen uit.
Kumi had haar gebruikelijke goede humeur weer terug en de Thea Sisters hadden haar maar geen vragen over de vorige avond gesteld.

De trein vertrok precies op tijd en ze waren Kyoto al snel uit.
'Kijk, de Fuji BERG!' riep Kumi opeens, terwijl ze naar buiten wees.
Toen de Thea Sisters zich naar het raam omdraaiden zagen ze, ondanks de grote afstand, een betoverend plaatje: de

INDRUKWEKKENDE Fuji berg met zijn enigszins platte, met eeuwige SNEEUW bedekte, top.

De muizinnen waren laaiend enthousiast.

EN HUN FANTASTISCHE...
...JAPANSE AVONTUUR...
...WAS NOG MAAR NET BEGONNEN!

Tokio, voor elk wat wils

De muizinnen waren sprakeloos van verbazing toen ze in Tokio aankwamen: alles was er nog groter, lichter en kleuriger dan ze hadden verwacht!

'Welkom in de stad waar alles mogelijk is!' begon Kumi enthousiast.

Sakura wees de Thea Sisters waar de ingang van het metrostation was: 'Jullie willen natuurlijk veel gaan BEKIJKEN dus kunnen jullie maar beter opschieten…'

'Ben je GEK, Sakura?! Wíj laten ze de mooiste plekjes van de stad zien!' zei Kumi, terwijl ze Sakura's TELEURGESTELDE blik negeerde.

Colette wist precies waar ze heen wilde: 'Ik heb iets gelezen over een wijk waar alle laatste modetrends te vinden zijn!'

'Dat is de beroemde wijk Shibuya,' verklaarde Kumi. 'Echt iets voor jou, Colette!'

'Hier staat dat er ook een hele wijk aan de modernste TECHNOLOGIE is gewijd!' zei Paulina op haar beurt, in de gids lezend. 'Akihabara: daar vind je de allerlaatste snufjes op elektronicagebied!'

Kumi GLIMLACHTE voldaan: ze wist perfect wat de verschillende Thea Sisters leuk vonden! Voor Violet had ze een bezoek aan de musea en de mooie NATUUR van het Ueno Park in gedachten. Voor Pamela de kleuren en het ritme van de wijk Harajuku. En voor Nicky, ten slotte, de charme van de oude wijk Asakusa!

De Thea Sisters
in Tokio

WAT EEN FANTASIE, MUIZINNEN!

EN NU EEN BEETJE CULTUUR!

HARAJUKU

SHIBUYA

WAT VEEL WINKELS!

KIJK EENS WAT EEN ENORME LAMPION!
ASAKUSA
UENOPARK
AKIHABARA
HIER KUN JE ECHT ALLES VINDEN
WAT EEN GI-GA-GEWELDIGE DAG!
TOREN VAN TOKIO

De twee volgende dagen gingen de Thea Sisters op een vermoeiende, maar boeiende ontdekkingstocht: ze wilden geen hoekje van die MUIZENISSIGE stad missen!
Sakura sjokte verveeld achter hen aan. Ze klaagde keer op keer over de WARMTE, de drukte, de moeheid… kortom, ze was de enige die het niet naar haar zin had!
Op de MIDDAG van de tweede dag, toen de muizinnen de stad al zo'n beetje helemaal doorkruist hadden, nam Kumi hen mee naar een wel heel bijzondere shop. 'Dit is een van de plekken waar jonge knagers het liefst komen!' verklaarde ze terwijl ze naar de ingang van een gebouw met felgekleurd neonlicht wees.
'Maar… Kumi, dat is *onze* karaoke shop!' protesteerde Sakura.
'Karaoke shop?!' vroeg Pam onthutst.
'Een… karaoke winkel dus?'

'Zoiets...' antwoordde Kumi geheimzinnig glimlachend. 'Jullie zullen zien: het is gi-ga-gaaf! Kom mee...!'

Kumi liep naar binnen, begroette de caissière als een oude bekende, en liep **VASTBESLOTEN** op een zijdeur af.

De muizinnen volgden haar NIEUWSGIERIG.

Ze belandden in een ruimte zonder ramen, met bankjes, tafeltjes en een GROOT scherm aan de muur.

KARAOKE SHOP

Karaoke is het favoriete tijdverdrijf van veel Japanse jongeren: je neemt een heel bekend liedje, een microfoon, een scherm waar de tekst overheen rolt en... je gaat zingen! In een karaoke shop bevinden zich verschillende kleurige zaaltjes met de meest moderne licht- en geluidsapparatuur. Je kunt er uren zingend met je vrienden doorbrengen. Vaak eten de jonge karaoke-knagers er ook een maaltijd.

Kumi liet haar vriendinnen plaatsnemen en drukte op een knopje: overal gingen er schitterend gekleurde neonlichten en discotheeklampen aan. Het scherm LICHTTE op en er galmde muziek uit onzichtbare luidsprekers!

Pam pakte, gemaakt plechtig, de microfoon en riep:

'KOM OP, MUIZINNEN!

WE GAAN ZIIIINGEN!!!'

Een nieuwe ontmoeting

Tot op dat moment had Sakura zich met een CHAGRIJNIG gezicht afzijdig gehouden: ze had geen enkel nummer willen zingen en ze begon zelfs te **gapen!**

En dat was echt niet omdat ze moe was: ze was gewoon **jaloers** op alle aandacht die Kumi aan haar nieuwe vriendinnen besteedde. Na een tijdje besloot Sakura om naar het hotel terug te gaan. Ineens, ze was nog maar net buiten, kreeg ze een IDEE. Ze pakte haar gsm en voerde een heel kort gesprekje.

'KUMI IS IN TOKIO,' fluisterde ze. Ze gaf het adres van de karaoke shop door en liep vervolgens voldaan glimlachend verder.

Toen de muizinnen naar BUITEN kwamen, stond er iemand op hen te wachten: een lange, blonde, *sympathiek* uitziende knager. Hij stak zijn hand naar Kumi op. Colette, die hem als eerste zag, fluisterde naar Kumi: 'Jeetje Kumi, die snuiter die ons gedag zegt, is de… eh… blondste **JAPANNER** die ik ooit gezien heb!!'

Kumi draaide zich om en barstte in lachen uit: 'Ha ha ha! Maar nee! Dat is geen Japanner: dat is Holger, een goede ZWEEDSE vriend van ons...'
Colette bloosde tot achter haar oren, terwijl Holger nogal houterig dichterbij kwam.
'Hé, Holger!' begroette Kumi hem vrolijk. 'Kom je ook karaoke zingen?'
Hij schudde zijn hoofd: 'Ik ben hier voor jou, Kumi, weet je dat niet?'
Haar SNUIT veranderde opeens van uitdrukking: 'Neem me niet kwalijk, maar hoe wist je eigenlijk dat ik...'
Toen ze merkte dat de anderen zwijgend toekeken, haastte ze zich om de Zweed voor te stellen: 'Muizinnen, dit is Holger. Hij komt uit het verre Zweden, is een ware BUNRAKU-ARTIEST en al vele jaren mijn vaders favoriete assistent...'

Holger gaf hun een poot, nog steeds een beetje onhandig en richtte vervolgens het woord tot Kumi: 'Je vader weet dat je in Tokio bent en nodigt jou en je vriendinnen uit voor een avond vol echte Japanse TRADITIES...' Sakura had namelijk vlak daarvoor met Kumi's vader gebeld. De Thea Sisters merkten meteen dat de uitnodiging Kumi in VERLEGENHEID bracht, dus schoten ze hun vriendin te hulp: 'We gaan graag met je mee, Kumi!'
Na even geaarzeld te hebben, liet de muizin zich overhalen: 'Oké, laten we dan maar gaan...'

Een vreemde snuiter

Na een korte **METROREIS** bereikten de muizinnen, in gezelschap van Holger, Kumi's ouderlijk huis. De **HOUTEN** huizen in de parkwijk waren in traditionele stijl gebouwd en omringd door prachtig **BLOEIENDE**

tuinen. De STRATEN hadden echter geen namen, en zonder Holger en Kumi hadden de muizinnen het nooit gevonden!
'Hier in Tokio doen ze nauwelijks aan straatnamen!' verklaarde Kumi LACHEND.
Nicky stond paf: 'Arme postbodes!'
Vanaf het tuinpaadje zagen ze een lange, ernstig uitziende knager in kimono* en een heel MAGERE, westers geklede knager in de deuropening staan.

* Traditioneel Japans kledingstuk

'Die met de kimono is mijn vader,' zei Kumi. De twee waren druk in **GESPREK,** dus bleef het groepje beleefd op een afstandje wachten. De westers geklede knager maakte een nogal BOZE indruk: 'Wees toch eens redelijk… je weet dat er dit jaar geld nodig is voor de voorstelling…'

Kumi's vader schudde ernstig zijn kop: 'Ik weet dat je het goed meent, maar zonder

MENEER NAKAMURA

MENEER ISHIKURO

de prinses wordt er geen theater opgevoerd!'
'En toch *sta* ik erop! Neem mijn voorstel aan...'
Opeens merkte hij de aanwezigheid van de nieuwkomers op en onderbrak hij zijn zin.
De Thea Sisters wisselden VERBAASDE blikken: het leek erop dat hun aankomst een heel belangrijk en... heel vertrouwelijk gesprek had verstoord!
Holger nam het woord: 'Meneer Nakamura, meneer Ishikuro, dit zijn Violet, Colette, Pamela, Nicky en Paulina!'
Meneer Nakamura verwelkomde de muizinnen met een diepe buiging, maar zijn snuit bleef SERIEUS.
De andere knager maakte een klein buiginkje en WENDDE zich vervolgens tot Kumi:
'Hopelijk kan jij je vader op andere gedachten brengen, Kumi! Hij is een echte stijfkop, maar we zullen zien wie z'n zin krijgt...'

Na nog twee keer gebogen te hebben, stapte hij in z'n zwarte limousine die in de hoofdstraat aan het EINDE van het paadje stond.

Paulina MERKTE fluisterend op: 'Wat een haast! En wat een rare snuiter...' De andere Thea Sisters dachten er net zo over en knikten ***bedenkelijk.***

Wie is meneer Ishikuro en over welke "prinses" had Kumi's vader het?

De schat van de familie

Zodra meneer Ishikuro weg was, richtte Kumi's vader zijn aandacht op z'n dochter en op de Thea Sisters: 'Welkom, kom binnen! De knagers in deze stad jagen tegenwoordig alleen nog nieuwigheden uit het buitenland na, maar hier kunnen jullie nog genieten van de echte JAPANSE tradities!!' De muizinnen bogen beleefd, maar Kumi's vader vertrok geen **SPIER.** Hij vroeg Holger om hen naar een ruimte te begeleiden waar ze zich voor het avondeten konden opfrissen, en liet hen alleen.

De Thea Sisters waren nogal **VERBAASD** over deze beleefde, maar afstandelijke ontvangst. Verder hadden ze een paar vragen die om een antwoord schreeuwden:

Wat bedoelde meneer Ishikuro tijdens zijn **DISCUSSIE** met Kumi's vader?

Wie was de *prinses* waar Kumi's vader het over had?

Kumi en Holger wisselden een blik van verstandhouding: het was tijd om uitleg te geven. Holger gebaarde de muizinnen hem te volgen, door een gang met **SCHUIFDEUREN** die op een grote, speciaal voor de Bunraku-poppen gereserveerde zaal uitkwam.
De muizinnen konden hun ogen niet geloven: langs de wanden stond een hele verzameling prachtige marionetten! Krijgers in harnas, jonkvrouwen met ingewikkelde,

schitterende kapsels, komische personages met LACHWEKKENDE snuiten...

De Thea Sisters keken enthousiast in het rond, en Holger lachte voldaan.

'Meneer Nakamura is Bunraku-leraar,' legde Holger uit. 'Zijn school is een van de belangrijkste van het land! Jammer genoeg komen er steeds minder knagers op de Bunraku-VOORSTELLINGEN af en redden we het alleen dankzij de geldelijke bijdragen van de instellingen...'

'...en rijke liefhebbers zoals meneer Ishikuro!' maakte Kumi de zin af.

Holger knikte: 'Dit zijn hele waardevolle poppen, maar de echte schat van de familie Nakamura is de pop die we de prinses noemen. Kumi noemde haar als klein meisje altijd de zwarte pop omdat ze in een speciale, zwarte ebbenhouten, poppenkoffer wordt

bewaard. Het is een marionet die stamt uit de tijd van de allereerste Bunraku gezelschappen! Voor haar is meneer Ishikuro speciaal uit Kyoto hierheen gekomen.'

'Ohh!' riep Violet opgewonden uit.

Colette stootte haar stiekem aan met haar elleboog en fluisterde: 'We hebben het over heel lang geleden dus... hm, of niet?'

Violet kon met moeite haar lachen inhouden: 'Inderdaad, Coco! De prinses is ongeveer... hm, *vierhonderd* jaar oud!'

'ONGELOOFLIJK,' was Pams commentaar. 'En mogen wij dat omaatje zien?'

Kumi schudde treurig haar hoofd: 'Nee, het spijt me muizinnen! Ze bevindt zich op een geheime plek die alleen mijn vader en ik kennen...'

De prinses

De prinses wordt namelijk maar één keer per jaar aan het publiek getoond!'

TIP

'Voor Kumi's vader staat de prinses voor de geest van het Bunraku-theater,' voegde Holger ernstig toe. 'Hij zou haar *nooit* verkopen!'

Paulina begon het vreemde gesprek van even terug beter te begrijpen: 'AHA, KIJK! Dus als ik het goed begrijp, zou meneer Ishikuro de prinsessenpop willen kopen...'

Holger antwoordde: 'Precies! Ishikuro is een oude familievriend die ons altijd geholpen heeft. Maar geld alleen is niet genoeg om een traditie levend te houden: daar zijn ook studie en passie voor nodig...'

Ishikuro wil de kostbare prinsessenpop, maar Nakamura is totaal niet van plan om haar te verkopen...

De Thea Sisters moesten lachen omdat de knager zich door zijn enthousiasme liet meeslepen: die jonge Zweedse leerling hield misschien nog meer van het Bunraku theater dan de JAPANNERS zelf!
Toen hij hun blikken opmerkte, BLOOSDE hij tot achter zijn oren.
Kumi kwam hem te hulp: 'Kom, muizinnen, het is tijd dat we ons voor de THEE-ceremonie gaan klaarmaken.'

De theeceremonie

Holger bracht de muizinnen naar een andere ruimte en drukte hun op het hart: 'Hier kunnen jullie je verkleden, maar doe het wel **SNEL!**'
'Verkleden?' vroeg Colette paniekerig. 'Maar ik heb niets geschikts bij me voor een *ceremonie!*'
'Wees maar niet bang, Colette, mijn vader heeft overal aan gedacht!' stelde Kumi haar gerust, terwijl ze haar een SUPERZACHT, licht pakje overhandigde.
Toen Colette het dunne papier openvouwde, zag ze een stukje prachtige, geborduurde stof.
Met stralende ogen maakte ze haastig het pakje open. Er zat een schitterende, roze *yukata** in!

* Een lichte kimono, die vooral in de lente en zomer gedragen wordt.

KIJK!! Er is er een voor ons allemaal!' riep Violet. 'En ook de **kleuren** zijn *perfect!'*

Met Kumi's hulp hadden de muizinnen de kleren zo aangetrokken. Ze maakten hun outfit compleet met **haarspelden**, taillebanden, teensokken en traditionele **HOUTEN** sandalen.

De sandalen zorgden in het begin wel voor wat evenwichtsproblemen!

YUKATA:
LICHTE KIMONO

KANZASHI:
HAARSPELDEN

OBI:
TAILLEBAND

TABI:
TEENSOKKEN

GETA:
HOUTEN SANDALEN

Holger kwam hen roepen: ook hij had zich verkleed en zag er bijzonder elegant uit in zijn TRADITIONEEL Japanse outfit.
Hij begeleidde hen naar een soort wachtkamertje naast de TUIN, waar Kumi's vader even later ook binnenkwam.
In zijn donkere kimono zag meneer Nakamura er nog BELANGRIJKER en strenger uit dan eerst, maar toen hij de vrolijk en kleurig geklede muizinnen zag, krulden zijn LIPPEN even tot een glimlachje: 'Ik ben blij dat jullie mijn geschenk waarderen. Als jullie me nu willen VOLGEN...'
'O, dank u! Ik ben *gek* op thee, vooral met citroen...' merkte Colette lief lachend op, maar hield meteen haar mond toen ze de AFKEURENDE blik van hun gastheer zag.
De muizinnen grinnikten, terwijl Colette blozend naar de grond keek.
'De Japanse THEE-ceremonie is heel oud

en heel anders dan de westerse!' verduidelijkte Paulina.

'Ik heb trouwens in de gids gelezen dat het een ingewikkeld ritueel is, hopelijk doen we niets verkeerd...'

DE THEECEREMONIE

Dit is één van de oudste tradities die de Japanse cultuur rijk is. De benodigdheden en de ruimte waarin de ceremonie plaatsvindt zijn heel eenvoudig. Een volledige ceremonie kan wel vier uur duren en verloopt dan volgens een heel ingewikkeld ritueel. De gasten krijgen ook een maaltijd van soms wel zeven gangen en twee soorten **matcha thee.** Soms vindt alleen het laatste onderdeel van de ceremonie plaats, de **usucha,** die maar een uurtje duurt. In dat geval wordt maar één soort thee geschonken.

Kumi stelde haar gerust: 'Geen paniek: doe mij gewoon na en je zult zien dat het allemaal goed gaat!'
Ze wasten allemaal hun poten in een STENEN kom die naast het paadje stond, gingen door een heel laag deurtje, en kwamen in een EENVOUDIGE, maar smaakvol ingerichte ruimte: de theezaal.
Kumi's kalme gebaren en de vredige sfeer, zorgden ervoor dat de Thea Sisters zich meteen ontspannen voelden. Ze waren blij dat ze het *oude* ritueel mochten meemaken.
Kumi's vader merkte het meteen. Hij was heel **TEVREDEN** en vol bewondering over hun gedrag. Na de ceremonie, het begon al te schemeren, stelde meneer Nakamura voor: 'Het zou een grote EER voor mij zijn om jullie nog een schat van ons land te mogen laten zien...'

'Ohanami!' riep Kumi stralend uit. 'Dat mogen jullie **ECHT** niet missen, muizinnen!' Meneer Nakamura wierp een liefdevolle **BLIK** op zijn dochter en GLIMLACHTE voor het eerst die dag warm naar haar: 'Goed zo, Kumi... we trakteren onze gasten op de *yozakura!*'

Ohanami staat voor "kijken naar en genieten van bloemen", een heel oud gebruik in Japan.
Tussen eind maart en begin mei, als de kersenbomen en pruimenbomen bloeien, verzamelen zich talloze knagers in de parken om dit met picknicks onder de bomen te vieren. 's Avonds en 's nachts gaat de pret verder. Het feest heet dan geen ohanami meer maar **yozakura**. De bloei van de kersenbomen is in Japan een symbool van rust en innerlijke vrede geworden. Je bent dan in harmonie met het ritme van de natuur.

Een hinderlaag tussen de kersenbomen!

De Thea Sisters vonden hun bezoek aan huize Nakamura een heel **speciale** ervaring. Ze waren extra blij omdat de spanningen tussen Kumi en haar vader **langzaam** leken op te lossen. Holger moest helaas weg omdat hij al een afspraak had, maar beloofde zijn nieuwe **vriendinnen** dat hij hen op het college in Kyoto zou komen opzoeken.

Het groepje liep het PARK in. De muizinnen hadden nog nooit zoiets prachtigs gezien: honderden LAMPEN van rijstpapier verlichtten de bloeiende kersen- en pruimenbomen! Sneeuwwitte en babyroze trosjes bloemen

dwarrelden van de bomen af naar beneden. De avond was zacht en overal rook het heerlijk naar bloemen. Het leek wel alsof ze op een zacht tapijt van bloemblaadjes wandelden!

Het was muizenissig **ROMANTISCH!**

De gekleurde gloed van de lampions maakte de betoverende sfeer in het park compleet.

'Wat een *magische* nacht,' verzuchtte Violet verrukt.

'We hebben een heleboel **moois** gezien deze dagen, maar dit slaat alles!' vond Nicky.

Pams gezicht betrok ineens: 'Pff! Jammer dat we morgen alweer naar het college moeten...'

'Maar we zien elkaar in ieder geval in augustus terug, voor het Yosakoi festival!' troostte Nicky haar.

Na deze woorden veranderde de sfeer ineens

compleet. Kumi's gezicht BETROK en ze keek naar haar vader.

Meneer Nakamura stond stil en zei met een **STRENG** gezicht: 'Ik doe er niet aan mee.'

'Maar het is een heel belangrijke gebeurtenis voor uw dochter,' protesteerde Paulina.

Nicky was het met haar eens: 'Kumi organi-

seert dit jaar de dans voor het college: *u mag niet ontbreken!'*
Kumi schudde VERDRIETIG haar hoofd.
Ze zei heel zachtjes: 'Ja papa, ik zou het zó fijn vinden als je kwam! Je zou met je eigen ogen kunnen zien dat er niets verkeerds is aan het vernieuwen van de tradities...'
Nakamura antwoordde kortaf: 'ONZIN, Kumi! Ik laat je toch nooit naar die buitenlandse school gaan, onthoud dat goed!'
De Thea Sisters KEKEN elkaar bang aan.
En dan te bedenken dat vader en dochter het een paar minuten geleden nog zo goed konden vinden samen! De avond was verknald. Ze dachten dat het niet erger kon worden maar... OPEENS werd het groepje verrast door drie griezelige, in het zwart geklede, gemaskerde snuiters. Het leken wel zwarte flitsen in de NACHT!

Meteen daarna sprongen er nog drie boeven uit een BOOM. De schurken omsingelden de muizinnen en liepen dreigend op meneer Nakamura af.

'Hééééééééélp!' gilde Kumi zo hard als ze kon, om de aandacht van de knagers in het park te trekken.

Maar het was allemaal **ZINLOOS**: in een mum van tijd had het gemaskerde zestal Nakamura te pakken. Ze **KNEVELDEN** hem, sleurden hem mee en **VERDWENEN** met hem de donkere nacht in. Het was allemaal zo *snel* gegaan dat de muizinnen als **VERSTEEND** waren blijven staan: Kumi's vader was zojuist ontvoerd!!

Zes griezelige snuiters hebben Kumi's vader meegenomen: wie zouden ze zijn en wat zouden ze van hem willen?

Een moeilijk moment

De politie was METEEN ter plekke, maar de ontvoerders waren al SPOORLOOS. Diep ongelukkig en bezorgd keerden de muizinnen naar het huis van Nakamura terug. Kumi was erg geschrokken en de Thea Sisters wilden haar voor geen goud alleen laten: ze zouden al het mogelijke doen om haar te helpen! Allereerst belden ze Holger, die in minder dan geen tijd bij hen was. Hij beantwoordde alle vragen van de RECHERCHEURS.

'Mijn vader heeft geen vijanden!' herhaalde Kumi keer op keer. Ze kon het allemaal niet geloven. 'Hij is een leraar en een KUNSTE-NAAR, iedereen waardeert en respecteert

hem: wie kan er nou zoiets gedaan hebben?!'
Een uur na de ontvoering stopte er een zwarte *limousine* voor het huis. Pam en Paulina dachten meteen hetzelfde.
'WEDDEN DAT...' begon Pam.
'... meneer Ishikuro is teruggekomen?' maakte Paulina de zin af.
En inderdaad, wie stapte er uit de luxueuze auto? De rijke mecenas.*

* Rijk persoon die bijvoorbeeld geleerden of kunstenaars helpt met geld, zodat ze zich verder kunnen ontwikkelen.

Hij stormde **opgewonden** naar binnen: 'Ik was teruggekomen om mijn goede vriend mijn excuses aan te bieden voor mijn harde woorden van vandaag, maar hoorde net het **VRESELIJKE** nieuws... Ik kan het niet geloven! Zijn er al verdachten?'

Nicky **KEEK** naar Kumi's trieste snuitje en zei beslist: 'Nog niet. Maar we werken eraan!'

Meneer Ishikuro keek **verbijsterd**, terwijl de andere muizen heftig knikten.

'Goed gezegd, sister! Een **INGEWIKKELDE** zaak als deze is ons op het lijf geschreven!' beaamde Pam.

Kumi kreeg weer wat kleur op haar wangen en glimlachte zwakjes. Colette ging naast haar zitten en gaf haar een **STEVIGE** knuffel, terwijl Paulina haar verzekerde: 'Kop op, Kumi! Zolang deze lelijke zaak niet is opgelost, blijven wij bij jou!'

Violet merkte echter dat één **AANWEZIGE** niet zo blij leek met hun voorstel: 'Is er soms iets, meneer Ishikuro?'
Bij het horen van zijn naam **schrok** de zakenman op, maar hij haastte zich te antwoorden: 'Eh, nee, nee… echt niet! Ik bedacht alleen dat het veel beter zou zijn als

jullie Kumi meenemen naar Kyoto, in plaats van dagenlang hier bij de telefoon op nieuws te wachten...'

Kumi **schudde** vastberaden haar hoofd, waarop Ishikuro doordramde: 'Maar kijk eens hoe je van **STREEK** bent! Ga naar Kyoto terug om bij te komen: je kunt alles hier aan mij overlaten!'

Zijn toon beviel de Thea Sisters voor geen cent: het leek erop dat hij ze allemaal weg wilde hebben!

Op dat moment mengde Holger zich in het gesprek. Hij hurkte naast Kumi neer en fluisterde **zachtjes:** 'Meneer Ishikuro heeft gelijk, Kumi! Echt, niemand heeft er iets aan als we hier allemaal bij de telefoon gaan zitten wachten. Ik blijf hier en bel je op zodra er **NIEUWS** is: ik beloof het je!'
Holger was als een broer voor Kumi: dus liet ze zich overhalen. De muizinnen keerden naar het hotel terug om zich op een TRIESTE terugkeer naar Kyoto voor te bereiden.

Maar waarom dringt Ishikuro zo aan om de muizinnen uit het huis van Nakamura weg te krijgen?

Een trouwe assistent

De daaropvolgende dagen viel het Kumi heel ZWAAR om haar kop bij het collegeleven te houden. Ze wachtte constant vol SPANNING op nieuws en kon zich nergens meer op concentreren, zelfs niet op de bijeenkomsten van de Kunstclub.

Sakura merkte dat haar vriendin VERANDERD was sinds het reisje naar Tokio, maar ze wist niet hoe dat kwam. Om haar niet bij die LELIJKE affaire te betrekken, had Kumi haar niets verteld. Maar dat was geen goed IDEE geweest: Sakura dacht dat Kumi zo VERSTROOID en afstandelijk deed omdat er

in Kumi's hart geen plaats meer voor haar was.
Ze raakte er elke dag meer van overtuigd dat het allemaal de schuld van die nieuwkomers was!

ALLEMAAL DE SCHULD VAN DIE THEA SISTERS

De Thea Sisters deden ondertussen hun uiterste best om hun vriendin gerust te stellen.
Op een dag, terwijl ze aan de kostuums voor het Yosakoi festival werkten, zag Colette dat Kumi haar naald op de tafel had gelegd en in gedachten verzonken triest naar **BUITEN** zat te staren. Om haar op te **vrolijken**, pakte ze haar poot en zei: 'Je zult zien, Kumi, dat alles in orde komt. Holger lijkt echt een betrouwbare knager.'
Kumi's blik *verzachtte*: 'Dat is hij zeker!

Hij is de beste leerling die m'n vader in jaren heeft gehad en hij is als een zoon voor hem...'

'Hij lijkt me ook een groot **liefhebber** van het Bunraku-theater,' merkte Paulina op.

Kumi knikte: 'Hij heeft zijn leven eraan gewijd om deze kunst te leren! Hij was pas achttien toen hij uit Zweden naar JAPAN kwam om het vak van mijn vader te leren en is nooit meer weggegaan!'

Vervolgens zei ze: 'Holger zou een volmaakte opvolger zijn, maar volgens onze familietraditie moet de *hoofd-omozukai* een Japanner zijn!'
'Wat jammer!' vond Violet.
'Tja, maar mijn vader is zo'n stijfkop dat...'
Kumi onderbrak haar zin halverwege, en zei lange tijd geen woord meer. Ze zat natuurlijk met haar gedachten bij haar GEVANGEN genomen vader.

Ishikuro's plan

De volgende dag kreeg Kumi bezoek: Holger was gekomen met nieuws uit **TOKIO!** De Thea Sisters verzamelden zich onmiddellijk in het zaaltje van de Kunstclub, dat op dat tijdstip helemaal uitgestorven was.

Holger begon te vertellen: 'We hebben een bericht gekregen: de **ONTVOERDERS** vragen een berg yens* in ruil voor je vader, en zelfs meneer Ishikuro zou zo veel geld niet zo snel bijeen kunnen krijgen!'

Kumi keek **geschokt,** maar Holger stelde haar meteen gerust: 'Wees maar niet bang, Kumi! Meneer Ishikuro heeft al een

* De yen is de Japanse munteenheid.

plan bedacht om je vader te bevrijden en die schurken aan de politie over te dragen!'
'Wij helpen mee!' verklaarde Nicky vol **VUUR,** uit naam van alle Thea Sisters.
'Bedankt muizinnen, maar dat zal niet nodig zijn,' antwoordde Holger glimlachend. Voor het plan is alleen de hulp van één knaagster nodig: Kumi!'
De muizin zag **BLEEK** om haar snuit, maar ze zei vastberaden: 'Ik zal alles doen wat ik kan: jullie kunnen op me rekenen!'

'Dan hoeven we nog maar één ding te doen,' besloot Holger, 'de pop ophalen; de prinses!' Ishikuro's plan was namelijk heel eenvoudig: in plaats van geld zouden ze de ontvoerders de kostbare marionet geven.
'Die pop moet echt een fortuin waard zijn,' merkte Colette verrast op.
'Ze is van ONSCHATBARE waarde, maar we hebben geen andere keus als we hen in de VAL willen lokken!' antwoordde de knager.

ISHIKURO'S PLAN

Vervolgens legde hij uit: 'Kijk, als we eenmaal de plaats van ontmoeting hebben afgesproken,

WE GEVEN DE ONTVOERDERS DE POP IN PLAATS VAN GELD

HOLGER WACHT DE ONTVOERDERS OP OM DE POP IN TE RUILEN TEGEN KUMI'S VADER

WACHT ik de ontvoerders op om de pop af te geven in ruil voor Kumi's vader... maar op het moment van de ruil, duikt Ishikuro op met de **POLITIE**.'

Na even nagedacht te hebben ging Kumi akkoord: 'Ik *vertrouw* op je, Holger, en zal de prinses gaan halen, maar op één voorwaarde: ik breng haar zelf naar de ontvoerders! Dat ben ik mijn vader verschuldigd. Verder heb ik er schoon genoeg van om hier af te wachten en niks te kunnen doen!'

'**REKEN MAAR VAN YES!**' viel Pam haar bij. 'We blijven hier echt niet zitten niksen!'

DE ONTVOERDERS WORDEN GEARRESTEERD EN MENEER NAKAMURA WORDT BEVRIJD

'We hebben beloofd dat we zouden helpen en we houden ons aan ons woord!' riepen de anderen strijdlustig.
Kumi's ogen glansden van ontroering. Ze drukte stevig de poten van haar vriendinnen.
'Ik weet niet hoe ik jullie kan bedanken, muizinnen! Jullie zullen mijn medestrijdsters zijn, net als bij Momotaro!'
'HA HA HA, dat is waar! We hebben echt een hond, een aap en een fazant nodig!' beaamde Holger. Hij barstte in zo'n aanstekelijke lachbui uit dat zelfs Kumi mee moest lachen.
De Thea Sisters KEKEN elkaar vragend aan.
'Honden en apen?! Nee, dankjewel hoor… Maar waar hebben jullie het over!?'

Het sprookje van Momotaro

Holger en Kumi lachten GEAMUSEERD.
Holger verduidelijkte: 'Het is een oud verhaal voor kinderen: alle Japannertjes kennen het!'
'Toen ik klein was, zeurde ik altijd net zo lang tot iemand me het voorlas!' zei Kumi GLIMLACHEND. 'En als m'n vader geen tijd had ging ik naar Holger met m'n boek en hij zei nooit nee!'
Ze ging verder: 'Het sprookje van Momotaro vertelt hoe je met hulp van je vrienden moeilijkheden kunt overwinnen.'

HET SPROOKJE VAN MOMOTARO

ER WAS EENS EEN OUD BOERENECHTPAAR DAT OP EEN RUSTIGE BOERDERIJ LEEFDE. ZE HADDEN HELAAS GEEN KINDEREN, MAAR LEIDDEN EEN ONBEZORGD LEVEN...

OP EEN DAG WAS HET OUDE VROUWTJE NAAR DE RIVIER GEGAAN OM DE WAS TE DOEN. DAAR ZAG ZE EEN REUSACHTIGE PERZIK OP HET WATER DRIJVEN. ZE BESLOOT HEM MEE NAAR HUIS TE NEMEN.

TOEN DE TWEE OUDJES DE VRUCHT DOORMIDDEN SNEDEN, WACHTTE HEN EEN GROTE VERRASSING: ER ZAT EEN PRACHTIG KLEIN KNAGERTJE IN!

DE BOER EN DE BOERIN BESLOTEN METEEN OM HET TE ADOPTEREN.

ZE NOEMDEN HET MOMOTARO, WAT "EERSTGEBORENE UIT DE PERZIK" BETEKENT. HET KINDJE GROEIDE OP TOT EEN STERKE, EN INTELLIGENTE JONGEMUIS.

OP EEN DAG BESLOOT MOMOTARO TE BEWIJZEN HOE STOER EN STERK HIJ WAS DOOR DE VERSCHRIKKELIJKE MONSTERS VAN HET EILAND ONIGACHIMA UIT TE DAGEN.

ONDERWEG KWAM HIJ EEN HOND, EEN AAP EN EEN FAZANT TEGEN. HIJ WAS ZO GOED VOOR ZE, DAT DE DRIE DIEREN BESLOTEN HEM BIJ ZIJN ONDERNEMING TE HELPEN.

DANKZIJ DE HULP VAN Z'N VRIENDEN EN ZIJN MOED SLAAGDE MOMOTARO ERIN OM DE GEMENE BEWONERS VAN HET EILAND TE VERSLAAN EN HUN SCHAT TE BEMACHTIGEN.

DE VIER VRIENDEN KEERDEN MET ELKAAR NAAR HET DORP TERUG, WAAR MOMOTARO BLIJ WERD VERWELKOMD DOOR HET BOERENECHTPAAR.

TOEN DE DORPSBEWONERS HOORDEN WAT HIJ GEDAAN HAD, BESLOTEN ZE MOMOTARO TOT HOOFD VAN DE STREEK UIT TE ROEPEN. SAMEN MET ZIJN BEHULPZAME VRIENDEN WAS HIJ LANGE TIJD EEN WIJZE EN INTELLIGENTE LEIDER!

'Het lijkt me gi-ga-geweldig om je *strijdaap* te zijn, Kumi!' **grapte** Pam, na het verhaal, terwijl ze een diepe buiging maakte.

'Jááááá! Ik wil ook een aap zijn!'

riep Nicky uitgelaten.

Violet daarentegen, maakte een *danspasje:*

'Ik ben de fazant!'

'Ik ook!' riep Colette.

'Dan ben ik de **machtige** *vechthond!'*

besloot Paulina.

Het Momotaro gezelschap was compleet.

De schuilplaats van de prinses

De volgende ochtend waren de Thea Sisters al vroeg uit de veren om met Kumi mee te gaan naar de **SCHUILPLAATS** van de kostbare prinsessenpop. Onderweg waren ze zo druk aan het KLETSEN, dat ze niet merkten dat ze door iemand bespied werden.

Het was Sakura, die nóg JALOERSER werd dan ze al was toen ze het groepje voorbij zag komen. Omdat niemand haar verteld had over de ONTVOERING van meneer Nakamura, kon ze niet weten hoe moeilijk Kumi het had...

Sakura besloot dat ze diezelfde avond nog een plannetje zou uitvoeren om de aandacht van haar hartsvriendin terug te winnen.

Ondertussen hadden Kumi en de Thea Sisters de stad achter zich gelaten en liepen ze over een paadje tussen twee akkers door. Kumi stopte bij de ingang van een **OUD** Japans huis. 'Dit huis is heel lang geleden door een dichter gebouwd... Welkom in de Rakushisha!'

De Thea Sisters bekeken het eenvoudige rieten dak, het oude **HOUT**, de gepolijste stenen, de prachtige gedichten die aan de lemen (leem is een soort klei) muren opgehangen waren. Wat een kalme, vredige sfeer!

Rakushisha is een beroemd, traditioneel Japans huis dat ooit toebehoorde aan de dichter Mukai Kyorai (1651-1704). Het is supereenvoudig en gemaakt van natuurlijke materialen. De naam staat voor "hut van de omgevallen kakibomen" (bij een hevige storm waren een heleboel kakibomen rond het huis omver gewaaid).

Het huis heeft lemen muren en een rieten dak. In de houten vloeren zijn enkele korte gedichten (zogenaamde haiku's) gekerfd en overal hangen gedichten, die met inkt en een penseel in Japanse lettertekens zijn geschreven.

Er was geen twijfel mogelijk: dit was echt de ideale schuilplaats voor een prinses!

De HUISBEWAARDER kende Kumi goed: hij was een oude schoolvriend van haar vader, en Nakamura vertrouwde hem blindelings.

Toen hij hoorde wat er gebeurd was, overhandigde hij Kumi METEEN een grote, kostbare kist, gemaakt van muizenissig mooi HOUT.

Precies op dat moment ging Kumi's gsm over: het was Holger!

De muizinnen keerden onmiddellijk naar het college terug.

Afspraak in het donker

De muizin was zo gespannen dat ze een sprongetje van schrik maakte.

Ze zag Sakura haar kamer binnenlopen: 'Hè hè, eindelijk een keer alleen!' zei ze. 'Waar zijn die vervelende Thea Sisters?'

Kumi stond op het punt om haar te vertellen over de **RAMPZALIGE** situatie, maar een BLIK op de klok deed haar van gedachten veranderen.

'Sorry Sakura, ik moet nu

echt weg… ik leg je alles later rustig uit!'
'Er valt niets uit te leggen!' zei haar vriendin beledigd. 'Als je liever met die buitenlandse muizinnen omgaat dan met mij, ga gerust je gang! Ik zal je heus niet **tegenhouden!**'
Kumi was verbijsterd: 'Wat zeg je nou? Dat is niet waar! Het is alleen dat…'
Precies op dat moment werd ze onderbroken door het luiden van de collegeklok, die met een diepe klank het halve uur sloeg: het was *half negen!*
Kumi pakte snel de kist met de kostbare pop. Sakura maakte van het moment gebruik om de gsm van haar vriendin achter haar rug te verstoppen.
In haar haast had Kumi het niet door: 'Sakura, probeer het te begrijpen, ik ben **ONGELOFELIJK** te laat! We hebben het er nog over… beloofd!'

Terwijl Sakura haar zag WEGRENNEN, verscheen er een sluw LACHJE op haar gezicht.

'Je wil niet te laat komen voor je afspraakje met je geliefde Thea Sisters, hè…' fluisterde ze bij zichzelf. 'Maar weet je, ze komen helemaal niet OPDAGEN! En ze kunnen je niet eens waarschuwen, dus moet je uren en uren voor niets WACHTEN! En wat denk je dan van je

nieuwe vriendinnen die je zo **BEWONDERT?!** Maar hoe kon Sakura er zo zeker van zijn dat de vijf MUIZINNEN niet zouden komen opdagen??

In de val!

De Thea Sisters en Holger namen ondertussen voor de zoveelste keer alle STAPPEN van het plan door: alles was tot in het kleinste detail gepland.

'We volgen Kumi op een afstand, zonder ons te laten zien...'

'...we wachten tot de ontvoerders meneer Nakamura brengen voor de ruil...'

'...en dan overrompelen we ze en houden ze vast tot de POLITIE er is!'

Holger was het meest zenuwachtig van allemaal: 'Pas op dat jullie niet overdrijven! We hoeven er alleen voor te zorgen dat ze niet ontsnappen... neem niet te veel RISICO!'

'Wees gerust, Holger! We weten heel goed hoe we bepaalde knagers moeten aanpakken!' antwoordde Pam zelfverzekerd.
Op dat moment hoorden ook zij de slag van de torenklok, en riep Nicky het groepje tot de orde: **'VOORUIT,** laten we opschieten! Kumi is vast al op weg!' De vijf muizinnen en Holger snelden naar de uitgang, maar...

 **DE DEUR ZAT OP SLOT!** 

Ze trokken eraan, bonkten, schreeuwden zo hard als ze konden... maar niks hielp: iemand had hen opgesloten! Maar wie zou dat gedaan kunnen hebben?!
Aan de andere kant van de deur wreef Sakura GRIJNZEND in haar poten: ze kon niet weten hoe veel GEVAAR ze met haar grapje had aangericht...
Kumi was intussen op de plek aangekomen

waar ze de ontvoerders zou ontmoeten: de prachtige tuin om het Keizerlijk Paleis van Kyoto. Het was een stille nacht en het maanlicht scheen op de bloeiende bomen.

Kumi was nerveus en ongerust: de Thea Sisters waren in geen velden of wegen te bekennen en de ONTVOERDERS zouden zo komen! Paniekerig zocht ze naar haar GSM om haar vriendinnen te bellen: maar… hij was verdwenen! Hoe had ze die nu kunnen vergeten? En hoe was het mogelijk dat de Thea Sisters en Holger haar precies

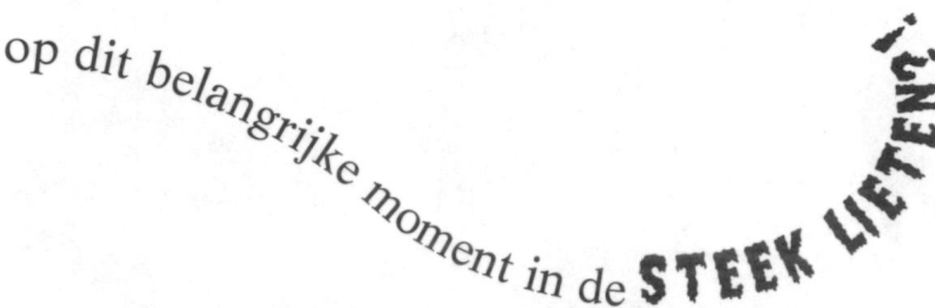

op dit belangrijke moment in de **STEEK LIETEN?!**

Je bent geweldig, Colette!

In de zaal van de Kunstclub lukte het Holger en de MUIZINNEN niet om Kumi op haar gsm te bereiken.

'Ze neemt niet op!' herhaalde Paulina voor de zoveelste keer, op van de ZENUWEN.

Holger schudde somber zijn kop: 'Ook Ishikuro is **ONBEREIKBAAR!**

Hij had hier al lang moeten zijn, klaar om de politie te laten ingrijpen!'

'**Verdorie** we kunnen hier toch niet opgesloten blijven zitten op een moment als dit!' barstte Pam los.

Waarom neemt Ishikuro de telefoon niet op?

'Laat mij maar eens even!' zei Holger opeens. 'Ik ram de deur in met één van mijn geheime KARATE-MOVES!'

De knager nam een megakomische houding aan: op één BEEN, met een arm naar voren en zijn blik strak op de deur gericht… hij leek wel een kraanvogel!

Pam en Nicky KEKEN elkaar aan en konden met moeite hun lachen inhouden, terwijl

Colette haar onafscheidelijke tasje doorzocht.
'Hebbes!' riep ze ten slotte voldaan. 'Wat nou KARATE? Dat hebben we helemaal niet nodig: we maken de deur…
hiermee open! Hi hi hi!'

Met een deftig gebaar toverde ze een klein, roze haarspeldje uit haar tasje. Terwijl Holger ongelovig toekeek stak ze het in het slot, zoals ze wel eens in FILMS had zien doen. Na enkele minuten sprong het SLOT open en konden ze eindelijk…
naar buiten!

'Je bent geweldig, Colette!' juichten de anderen, terwijl ze haar omhelsden.

Verraad!

Kumi stond **rillend** van de kou in haar eentje op de ontvoerders te wachten. Iedere **SCHADUW** deed haar opschrikken. Plotseling hoorde ze het geluid van voetstappen die snel dichterbij kwamen…

STAP! STAP-STAP! STAP! STAP-STAP!

Ze beefde tot aan het puntje van haar staart toen de Thea Sisters en Holger opeens voor haar neus stonden! Opgelucht omarmden de muizinnen elkaar, buiten adem van het **harde** lopen.
'Pfff Pfff! We waren al bang… dat we het niet

zouden halen!' zei Paulina hijgend. 'Iemand heeft geprobeerd ons tegen te houden!' legde Holger uit, terwijl hij naar **adem** snakte.
Het moment van opluchting duurde echter maar kort: uit het niets verschenen de zes lenige, donker geklede KNAGERS die Kumi's vader ontvoerd hadden.
'VERRAAD!' schreeuwde Holger.

Waar hebben we de door Holger ontmaskerde schurk al eerder gezien?

'Dit is geen ruil, maar een *hinderlaag!'*

'Deze schurken komen alleen om de prinsessenpop te stelen!' riep Nicky, terwijl ze er één tegen probeerde te houden door hem bij zijn riem te grijpen.

De MUIZINNEN deden al het mogelijke om Kumi en de prinses te beschermen, maar de zes boeven sprongen als KREKELS, en waren hun steeds te snel af.

Hun enige hoop was nog de versterking die Ishikuro beloofd had, maar de knager was nergens te **BEKENNEN.**

'Beet!' riep Holger opeens. Hij trok net zo lang aan het dievenmasker van één van de boeven, tot zijn LELIJKE kop tevoorschijn kwam.

Net op dat moment slaagde één van de schurken erin om de kist uit Kumi's handen te rukken.

TIP

Meneer Ishikuro had beloofd dat hij de politie zou waarschuwen: maar waar is hij?

'NÉÉÉÉÉÉ! Ze hebben de prinses te pakken!' gilde de muizin **ANGSTIG.** Maar het was al te laat: net zo snel en stil als ze waren gekomen, glipten de zes SNUITERS de NACHT in, mét de kostbare marionet. Het enige wat ze achterlieten was het donkere dievenmasker dat Holger nog TRIEST in zijn poten hield.

Vriendinnen zoals vroeger!

Het was echt een hopeloze situatie.
'Ongelofelijk!' verzuchtte Paulina **radeloos.** 'Het is die snuiters gelukt om de prinses mee te nemen!'
'Wat moeten we nu doen?' vroeg Kumi **hoofdschuddend.**
Een klein stemmetje achter hen antwoordde: 'Deze nieuwe uitdaging aanpakken, samen met alle knagers die van je houden, dat moeten we doen!'
De muizinnen en Holger draaiden zich meteen om: **"SAKURA!"** Nadat ze de Thea Sisters en Holger in de zaal van de Kunstclub had op-

gesloten, was Sakura namelijk op zoek gegaan naar Kumi, en had haar weten op te sporen.
'Ik heb me vreselijk stom gedragen!' zei de muizin beschaamd. 'In plaats van aan Kumi te denken, heb ik alleen aan mezelf en m'n domme jaloezie gedacht!'
Kumi vergaf het haar meteen: 'Ik had je meteen alles moeten vertellen! Ik wilde je alleen maar beschermen, maar ik heb een GROTE fout gemaakt...'

Ontroerd gaf Sakura haar vriendin een stevige knuffel. Vervolgens draaide ze zich vol spijt naar de Thea Sisters toe. 'En jullie, muizinnen, kunnen jullie me ooit vergeven?'

'Reken maar van yes, SISTER!' antwoordde Pam namens iedereen, terwijl ze haar bij haar poten pakte.

'Sommige MOTOREN moeten eerst even opwarmen, maar daarna zijn ze razendsnel!'

Blij om de nieuwe vriendschap drukten de muizinnen elkaar de poot.

Holger stond te piekeren met het dievenmasker in zijn poten.

'Maar natuurlijk! Hij was het!' riep hij opeens uit. Hij sloeg zich met een poot op z'n kop.

'Luister, we kunnen het nog redden! Ik weet nu wie Kumi's vader ontvoerd heeft en de pop heeft gestolen!'

WAT VINDEN JULLIE ERVAN OM ALLE AANWIJZINGEN NOG EENS OP EEN RIJTJE TE ZETTEN?

1) Meneer Ishikuro komt uit Kyoto omdat hij de kostbare pop van de Nakamura's wil kopen, maar Kumi's vader weigert om er afstand van te doen.
2) Na de ontvoering van Nakamura lijkt het erop dat Ishikuro niet wil dat de Thea Sisters zich met het onderzoek bemoeien.
3) Ishikuro is de maker van het plan om de ontvoerders te pakken te krijgen, maar op het moment van de ontmoeting schittert hij door afwezigheid en neemt hij ook de telefoon niet op.
4) Op het moment van de ruil is de politie niet gekomen.

Bestorming van het kasteel!

'Dit verklaart veel!' zei Holger. 'De vraag om losgeld... daarom wilden de ontvoerders in Kyoto afspreken; Ishikuro woont hier niet zo heel ver vandaan... En dan het plan om de prinses uit haar **SCHUILPLAATS** te halen...' Hij zwaaide met het dievenmasker voor de neuzen van de muizinnen: 'En dit is het definitieve bewijs! Ik wist dat ik die snuiter al eerder ergens GEZIEN had, en uiteindelijk schoot het me te binnen! Eén van die ontvoerders is... de chauffeur van Ishikuro!'

'**NÉÉÉÉÉÉ!** Ik kan het niet geloven!' Kumi was verbijsterd. 'Ik vind meneer Ishikuro

DE ONTMASKERDE ONTVOERDER IS ISHIKURO'S TROUWE CHAUFFEUR!

ook nict bcpaald sympathiek, maar hij heeft mijn vader altijd geholpen in moeilijke tijden...'
'Maar Holger heeft niet helemaal ONGELIJK!' merkte Paulina op. 'De eerste keer dat we hem zagen, probeerde Ishikuro je vader over te halen om de prinses aan hem te verkopen...'
'Precies!' beaamde Violet. 'En meteen na de

ontvoering wilde hij ons zo snel mogelijk uit Tokio weg hebben… belachelijk snel zelfs!'

'En wat dachten jullie van zijn "plan": waar was hij toen we hem nodig hadden?!' besloot Nicky, met haar poten over elkaar.

Ze hadden gelijk: alle aanwijzingen leken in Ishikuro's richting te wijzen.

'Het is niet eerlijk! Het is Ishikuro gelukt!' PROTESTEERDE Colette.

De muizinnen en Holger keken elkaar AAN.

'Dat is niet gezegd, sister!' verklaarde Pam ten slotte, strijdlustiger dan ooit.

Klaar voor de strijd keerde de groep naar het college terug om een nieuw plan op te zetten. Kumi kende goed de weg in Ishikuro's huis. Het bevond zich op een paar uurtjes van Kyoto, dichtbij de berg Fuji. Hier bewaarde de rijke mecenas zijn kostbaarste aankopen: de prinses móest daar wel zijn!

De muizinnen namen afscheid van Sakura, die op het college bleef om aan de leraren uit te leggen waarom Kumi en de Thea Sisters afwezig waren, en gingen naar het STATION van Kyoto, waar ze met Holger hadden afgesproken. Het uitzicht op de berg Fuji was weer adembenemend: er lag nog wat SNEEUW op, en de top werd bedekt door een lage wolk die leek op een donut.

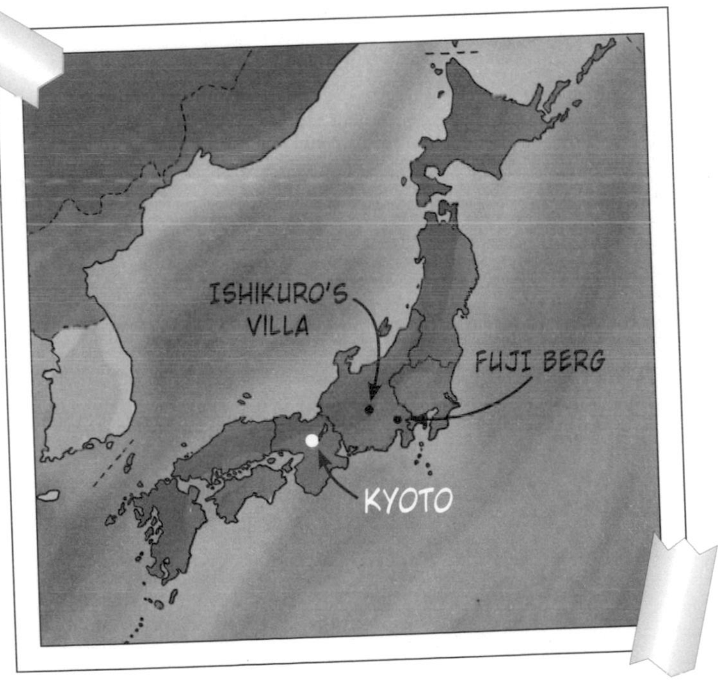

'Volgens mij wenst de Fuji ons GELUK!' zei Nicky, met een knipoog naar haar vriendinnen.

Toen ze Ishikuro's villa bereikten, vielen net de laatste zonnestralen van die dag op de indrukwekkende berg.

De villa had drie verdiepingen en deed hen denken aan een oud, Japans kasteel van een leenheer, rank en omringd door oude, STENEN muren.

Alle verdiepingen waren van buiten versierd met kleurig ingelegd HOUT, en op de dakpannen van het schuine dak kon je de GLOED van de ondergaande zon zien.

'Allemachtig wat een optrekje!' merkte Colette bewonderend op.

'Het zal niet meevallen om daar binnen te komen,' zei Paulina, 'maar wees niet bang: ik heb al een actieplan!'

Paulina pakte een vel papier en tekende ter plekke een kaart van het kasteel om de anderen haar idee uit te leggen: 'De villa is uitgerust met een piekfijn **alarmsysteem**...'

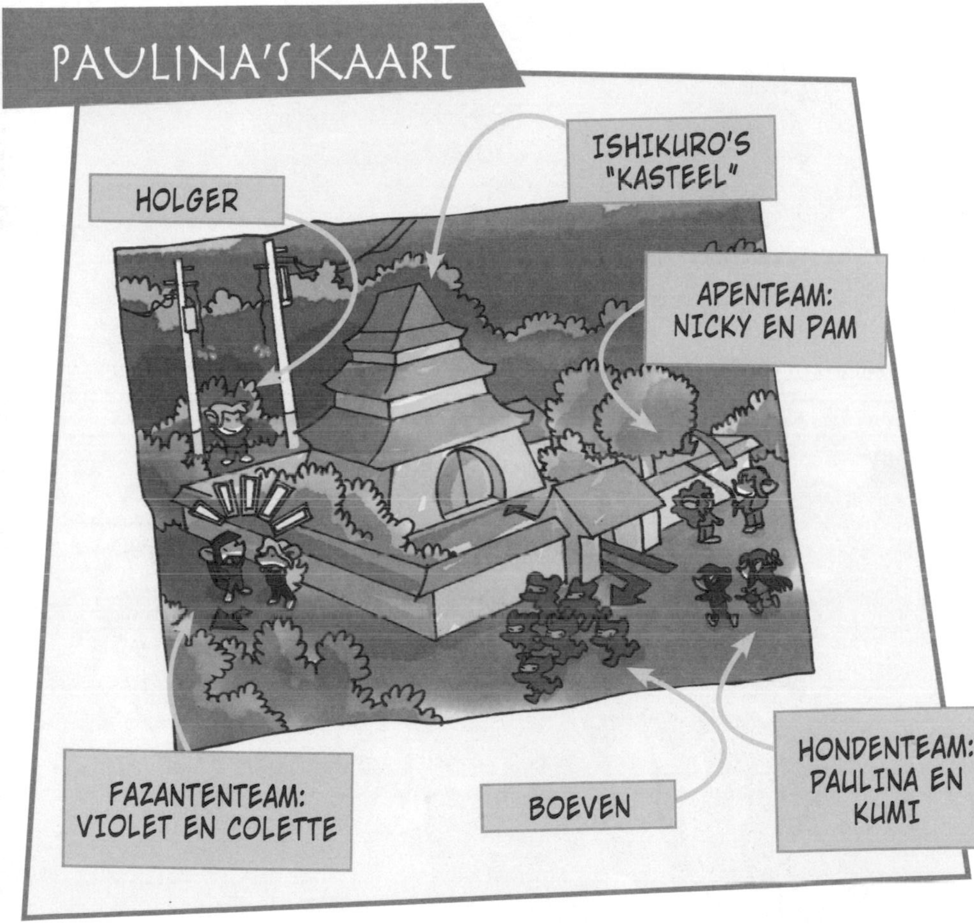

PAULINA'S KAART

HOLGER

ISHIKURO'S "KASTEEL"

APENTEAM: NICKY EN PAM

FAZANTENTEAM: VIOLET EN COLETTE

BOEVEN

HONDENTEAM: PAULINA EN KUMI

Holger pakte de kaart, bekeek hem aandachtig en zei vervolgens lachend, om de spanning te VERLICHTEN: 'Gelukkig zijn jullie er: de legendarische *strijd-apen, -honden en -fazanten…* net als in het sprookje van Momotaro!'
Ze werkten met elkaar een nauwkeurig plan uit waarin ze alle zeven een **belangrijke** rol hadden.

Het moment om de boeven terug te pakken…

…was aangebroken!

Codenaam: Momotaro

Holger kwam als eerste in actie. Hij knipte de electriciteitsdraden van de villa door waardoor alle lampen maar ook het alarmsysteem uitgeschakeld werden.* Zodra alle lichten in de villa uitvielen, kwamen de bewakers naar buiten: de zes

* Ga nooit zelf met elektriciteitsdraden aan de gang, dat kan heel verkeerd aflopen!

1
HOLGER SNIJDT DE STROOM AF...

in het **ZWART** geklede **boeven** die meneer Nakamura hadden ontvoerd!
Op dat moment kwam het *fazantenteam* in actie: Violet en Colette stelden zich ver van de ingang langs de muur op en trokken de aandacht van de bewakers door te **GILLEN**, rare geluiden te maken en **GEZICHTEN** te trekken.
De zes knagers reageerden meteen. Als één knager stormden ze op de twee muizinnen af,

2
...VIOLET EN COLETTE TREKKEN DE AANDACHT VAN DE BOEVEN...
FAZANTENTEAM

maar die hadden zich al tussen de bomen **VERSTOPT** voor de boeven hen konden bereiken.
Nu was het *apenteam* aan de beurt!
Nicky en Pam, de meest **GETRAINDE** muizinnen van het groepje, gooiden twee dikke TOUWEN over de ringmuur en maakten van de verwarring gebruik om snel over de steile, STENEN muur te klimmen.

3

...TERWIJL NICKY EN PAM OVER DE STENEN MUUR KLIMMEN OM DE POORT VAN BINNENUIT TE OPENEN...

APENTEAM

4

...ZODAT PAULINA EN KUMI NAAR BINNEN KUNNEN OM HET BEDIENINGSPANEEL VAN HET ALARMSYSTEEM TE VINDEN!

HONDENTEAM

Ze landden net op tijd aan de andere kant van de muur: de schurken hadden de noodgenerator in werking gesteld, waardoor de LICHTEN in het kasteel weer waren gaan branden. De muizinnen kregen de poort makkelijk open en lieten het *hondenteam* binnen: Paulina en Kumi. Zij hadden de moeilijkste taak: de bedieningscentrale van de villa vinden en de **boeven** in hun eigen huis gevangen nemen!

Achter de tralies!

Ook Violet, Colette en Holger waren in de tussentijd het kasteel binnengekomen, en de achtervolging ging binnen de muren verder.

De muizinnen deden hun uiterste best om de schurken **bezig** te houden door in de gangen en de kamers verstoppertje te spelen. Nadat Paulina een hele tijd het gecomputeriseerde **ALARMSYSTEEM** had bestudeerd, vond ze een oplossing.

Onmiddellijk belde ze Nicky op haar gsm: '***REN*** snel naar de gang die naar de paardenstallen leidt... en zorg er vooral voor dat die KNAGERS achter je aan komen!'

Nicky was de snelste van het stel, en het lukte

haar zich door alle zes de boeven te laten achtervolgen. Ze sloegen een lange **DONKERE** gang in en terwijl Nicky daar doorheen rende, kwamen er achter haar steeds loodzware, stalen **TRALIES** neer.

ZOEF! BOEM! ZOEF! BOEM! ZOEF! BOEM!

Met de camera's van het beveiligingssysteem hield Paulina Nicky's BEWEGINGEN ondertussen in de gaten: zodra ze zag dat haar vriendin veilig en wel de gang uit was, sloot ze ook deze uitgang via de COMPUTER af. Wat een teleurstelling voor de zes **SCHURKEN** om zich op de laatste plek ter wereld te bevinden waar ze zouden willen zijn: achter de tralies! De jonge knagers juichten in koor:

YEAAAHHH!!!

Maar… waar hing meneer Ishikuro uit?

Af dat masker!

De muizinnen en Holger begonnen in een rustiger tempo het kasteel te doorzoeken, dat schatten uit alle tijden en alle landen bevatte.

'Kijk eens wat veel KUNSTWERKEN!' riep Violet. 'Al dit moois hoort eigenlijk in een museum thuis, in plaats van in dit KOUDE kasteel!'

Holger riep zijn vriendinnen: 'Kom, snel! Ik heb een zaal gevonden vol met JAPANSE kunst....'

De zaal stond vol schatten en kostbaar aardewerk dat in een vitrinekast naast twee schitterende antieke kimono's was uitgestald. Nicky stond een rij paspoppen te bekijken die aangekleed waren als personages van het Noh-theater*, toen ze opeens opsprong:

* Een van de klassieke, Japanse theatervormen. Op pagina 183 kun je er meer over lezen!

'Hé, wacht eens even! Maar dit is *geen* paspop!' **'PAPA!'** schreeuwde Kumi meteen, terwijl ze naar haar vader rende om hem te bevrijden. VASTGEBONDEN en gekneveld als een salamiworst stond hij tussen de oude paspoppen. Meneer Nakamura drukte zijn dochter stijf tegen zich aan: 'Kumi, kleintje van me, je bent hierheen gekomen om me te redden...'
Nakamura omhelsde ook Holger en maakte een speciale buiging voor de Thea Sisters: 'Jullie zijn echt heel erg DAPPER, muizinnen. Ik weet niet hoe ik jullie kan bedanken!'
Paulina herinnerde hen aan de prinses: 'We zijn er nog niet! Het alarmsysteem heeft de **POLITIE** gewaarschuwd, maar voordat Ishikuro ons ontdekt moeten we de prinses vinden!'
'Te laat, mijne en heren!' zei een stem achter hen. Het was Ishikuro met de kist van de prinsessenpop!

Bij het eerste teken van **GEVAAR** had de boef zich in die zaal verstopt, maar nu zat hij in de val: tussen hem en de deur stonden namelijk Holger, Nakamura en zes ontzettend vastberaden muizinnen!

Nakamura liep dreigend op hem af:

'Hoe heb je me dit kunnen aandoen? Ik beschouwde je als *mijn vriend*!'

Ishikuro probeerde langzaam naar de deur te glippen, maar de muizinnen en Holger verloren hem geen seconde uit het oog.

'Je begrijpt het niet!' antwoordde hij geërgerd. 'Ik *móest* deze marionet hebben! Ze hoort hier thuis, tussen mijn schatten!'

Holger wierp hem een dodelijke blik toe en antwoordde kwaad: 'Een Bunraku-pop moet tot leven komen door de **gevoelens** die de theaterartiesten in de voorstelling leggen, met hun kunst en hun **hart!** Het is helemaal fout om haar in een kamer op te sluiten waar niemand haar kan **ZIEN!**'

Ontroerd keek Nakamura naar zijn meest **TOEGEWIJDE** leerling en besefte eindelijk dat de oude traditie van zijn Bunraku in geen betere poten zou kunnen zijn. Nakamura's **SCHOOL** had zojuist een perfecte opvolger gevonden!

Gered!

Meneer Ishikuro was alleen totaal niet van plan om zich gewonnen te geven. Hij bleef stiekeme blikken op de deur WERPEN.

'Stomme buitenlanders, jullie hebben alles in het honderd gestuurd!' snauwde hij de Thea Sisters toe. 'Maar het zal jullie niet lukken om mij in de GEVANGENIS te krijgen!'

Na deze woorden stormde hij op de deur af, in een laatste poging om te ONTSNAPPEN.

De Thea Sisters schoten meteen op hem af en Violet slaagde erin hem te tackelen. Ishikuro viel op de grond en de kist met de kostbare pop schoot uit zijn poten.

Een oneindig lang ogenblik keken alle aanwezigen ademloos toe hoe de kist boven hun snuiten ronddraaide. Toen schreeuwde Kumi opeens:

'O NÉÉÉÉ!!!'

Halverwege in de lucht ging de kist open. De pop vloog eruit, en dreigde in duizend **stukjes** te vallen...

De ramp leek onafwendbaar, maar Pamela kwam flitsend snel in beweging, maakte een sprong waar een haas jaloers op zou zijn, dook naar de grond en ving de prinses op, een fractie van een seconde voor ze de vloer raakte!

'VOOR PAM, HIEP HIEP HOERA!'

jubelden de muizinnen in koor, terwijl Kumi's vader Ishikuro onschadelijk maakte. Holger hielp Pam OVEREIND en nam de ongedeerde pop in zijn armen.

'De prinses is gered!' riep de knager uit.

Iedereen zuchtte van opluchting.

Een paar minuten later arriveerden er drie politieauto's met gillende sirenes. De politie trof de zes woedende boeven achter de tralies aan en een DROEVIGE Ishikuro, vastgebonden en klaar om ingerekend te worden!

De daaropvolgende dagen onderzocht de politie alle KUNSTWERKEN die het kasteel rijk was. Ze vonden nog veel meer geroofde schatten die volgens de wet aan het hele JAPANSE volk toebehoorden. Ishikuro's villa werd door de politie in beslag genomen. Het zou snel een **PRACHTIG** museum worden, dat openstond voor alle liefhebbers van kunst en TRADITIES!

Dank jullie wel, Thea Sisters!

En zo konden de Thea Sisters eindelijk de beroemde prinses van het Bunraku theater bewonderen.

'Ze is *prachtig!!'* riepen Colette en Violet **vertederd** uit, elkaars poten vasthoudend. Haar kimono, waarop duizenden, goudkleurige PAILLETTEN schitterden, was nog als nieuw, ondanks alle jaren en alle gevaren die hij doorstaan had.

'Voor een omaatje van bijna vierhonderd ziet ze er echt geweldig uit!' merkte Pam **vrolijk** op. Holger keek Kumi aan, waarop de muizin bevestigend knikte: het moment was aangebroken om de prinses aan haar wettige eigenaar terug te geven. Met een plechtige snuit LIEP de blonde knager door de zaal naar zijn *leraar*. Toen hij voor hem stond maakte hij een diepe buiging en overhandigde hem de pop: 'Het is tijd dat de prinses naar huis terugkeert, meester!' Maar meneer Nakamura legde *liefdevol* een poot op zijn schouder: 'Bij jou *is* ze al thuis, Holger. De prinses behoort nu aan jou toe!' Holger kon het bijna niet GELOVEN.

Buiten zichzelf van blijdschap begon hij zijn leraar met een hele serie diepe BUIGINGEN te bedanken.

Kumi feliciteerde als eerste de nieuwe leraar van de Nakamura-school: 'Dit is een droom die werkelijkheid wordt, Holger! Niemand verdient deze positie meer dan jij!'

'En nu we het toch hebben over dromen die uitkomen...' stelde Nicky voor, met een KNIPOOGJE naar haar vriendinnen. 'Het schijnt dat een ons bekende, Japanse muizin snel naar Parijs zal vertrekken!'

Bij deze woorden sloeg Kumi *verlegen* haar ogen naar haar vader op. Toen ze hem zag GLIMLACHEN vloog ze hem om de hals: 'O papa! Dank je! **Dank je!**'

Nakamura schudde zijn hoofd, terwijl hij zijn dochter over haar wang streek: 'Je moet niet mij bedanken, kleintje, maar je fantastische

vriendinnen! De wereld is vol speciale knagers zoals zij, en ik weet nu dat iedereen een schat aan TRADITIES met zich meebrengt. Net zo goed als dat de prinses niet in een IJZIGE brandkast thuishoort, hoor ik jou niet te dwingen om hier te blijven!'

Kumi spreidde haar poten, als om alle vijf haar nieuwe vriendinnen tegelijk te omhelzen:

'Bedankt, Thea Sisters!'

Feest!

Zodra ze weer op het Yoshimune College waren, belden mijn *dierbare* Thea Sisters me op om me over dit muizenissige **AVONTUUR** te vertellen. Ze beschreven Kumi en Sakura zo uitvoerig dat het net was alsof ik hen al kende. Verder vertelden ze me over de *dans* waar ze al weken aan werkten voor de jaarlijkse Yosakoi Matsuri.

Colette was **superopgewonden**: 'Dit wordt vast het mooiste *feest* dat we ooit hebben meegemaakt, Thea! Je mag *niet* ontbreken!'

'We hebben voor jou ook een kostuum op maat gemaakt en per expresse naar TOPFORD gestuurd!' voegde Nicky LACHEND toe. 'Boek maar snel een vlucht en je zult zien dat die mopperkont van een Pallieter ons pak precies op tijd bij je **BEZORGT!**'
'We verwachten je in Japan, Thea!' riepen ze alle vijf in koor.

Drie keer raden wat er in het postpakket zat: inderdaad, het schitterende traditionele kostuum dat de Thea Sisters en hun vriendinnen voor mij gemaakt hadden voor de dans van het Yosakoi-feest! Toen ik aankwam baadde het stadje Kôchi al in een zee van licht, in alle KLEUREN van de regenboog, en was de lucht vervuld van de vrolijke muziek die de verschillende groepen maakten. Kumi en Sakura verwelkomden mij als een eregaste en hielpen me om de eerste passen van hun choreografie onder de knie te krijgen. Zelfs Holger danste met ons mee, terwijl meneer Nakamura vanaf een afstandje toekeek, **muizentrots** op zijn talentvolle dochter. Wat veel knagers, wat veel kleuren, wat veel dansen!!!

Dit was echt een heel bijzondere zomer voor ons allemaal. We hadden JAPAN voor altijd in ons **hart** gesloten!!!

HET LAND VAN DE RIJZENDE ZON

DE OFFICIËLE NAAM VAN JAPAN IS NIHON-KOKU (OF NIPPON-KOKU). NIHON (OF NIPPON) BETEKENT "OORSPRONG VAN DE ZON": JAPAN BEVINDT ZICH NAMELIJK TEN OOSTEN (WAAR DE ZON OPKOMT) VAN CHINA EN EUROPA. IEDERE OCHTEND ALS WIJ WAKKER WORDEN, HOUDT DE ZON ONZE JAPANSE VRIENDEN AL VELE UREN GEZELSCHAP!

EEN DEMOCRATISCH KEIZERRIJK

DE KEIZER

Al sinds jaar en dag staat er een keizer aan het hoofd van Japan. In de loop der eeuwen hebben verschillende regerende families elkaar opgevolgd. De keizers werden vaak bijgestaan door plaatselijke bestuurders, zoals de shoguns (van SEI-I-TAI-SHOGUN, wat "opperste generaal ter onderwerping van de barbaren" betekent). Tegenwoordig is Japan het enige land ter wereld dat nog een keizer heeft: **Zijne Keizerlijke Hoogheid Keizer Akihito.** Sinds 1946 is Japan een parlementaire democratie, en heeft de keizer vooral nog een symbolische functie.

De huidige keizer Akihito is met **Michiko Shoda** getrouwd. Het keizerlijke paar heeft drie kinderen: **kroonprins Naruhito, prins Akishino** en **prinses Sayako,** die door haar huwelijk met een gewone burger haar keizerlijke titels heeft verloren.

In Japan bestaat er een ander systeem van jaartelling dan bij ons! De Japanners houden nog steeds de traditie in ere dat de jaartelling begint als de keizer de troon bestijgt. Iedere periode heeft zijn eigen naam en bij iedere nieuwe keizer begint de jaartelling weer bij nul. De huidige keizer besteeg de troon op 7 januari 1989, en op dat moment is voor de Japanners de **Heisei periode** begonnen.

De **shoguns** waren militaire leiders die naast de keizer regeerden en vaak grote macht uitoefenden. Deze strenge heersers hanteerden een klassensysteem: bovenaan de ladder stonden de ***samoerai*** (de krijgersklasse), gevolgd door de boeren, de handwerkslieden en de handelaren.
De laatste shogun, van de Tokugawa dynastie, droeg in 1868 zijn macht over aan de keizer.

De **samoerai,** ook wel de "ridders van het oosten genoemd", vormden de Japanse krijgsadel. De term samoerai betekent "hij die dient". Samoerai waren krijgers *(bushi)* in dienst van een leenheer *(daimyo)*. Aan het einde van de negentiende eeuw besloot Mutsuhito, de keizer van de Meiji-periode, de Samoerai klasse af te schaffen en te vervangen door een leger naar westers model.

NIET ALLEEN BUNRAKU...
HET TRADITIONELE JAPANSE THEATER

Bunraku, het poppentheater, is niet de enige traditionele Japanse theatervorm: ook Kabuki, Noh en Kyogen zijn heel populair, zowel in eigen land als in het buitenland. Ze bogen alle vier op een heel lange traditie!

1. KABUKI

Een rond 1600 ontstane theatervorm. De in schitterende, kleurrijke kostuums gestoken acteurs spelen en dansen op gezongen muziek. Hun gezichten zijn verschillend opgemaakt, afhankelijk van de rol die ze spelen en de emoties die de personages moeten overbrengen. Alle acteurs zijn mannen, de vrouwenrollen worden gespeeld door speciale acteurs, die *onnagata* genoemd worden.

2. NOH

De oudste vorm van Japans muzikaal theater. Ook hier dragen de acteurs kostbare kleding en wordt het verhaal niet alleen met toneelspel maar ook met zang en dans verteld. De hoofdrolspeler draagt een gelakt masker, dat zijn rol op het podium duidelijk maakt. Ieder personage heeft zijn eigen, traditionele masker: oude man, oude vrouw, meisje…

3. KYOGEN

Kyogen betekent zo veel als "gekke spraak". Het is een vorm van komisch theater dat vaak tussen twee acts van Noh werd opgevoerd. De grappen en handelingen van het Kyogen zijn erg simpel en lachwekkend: in tegenstelling tot de andere theatervormen is Kyogen bedoeld om het publiek aan het lachen te maken.

あきうけちつぬえねとも

EEN GETEKEND ALFABET

In het Japans kunnen de woorden zowel met letters uit een alfabet als met **ideogrammen** (tekens die een voorwerp of een begrip symboliseren) worden geschreven. Het Japans kent vier verschillende schrijfsystemen: **hiragana, katakana, kanji** en **romaji** (het schrijven van het Japans met ons westerse alfabet).
De Japanse alfabetten hiragana en katakana zijn fonetisch, wat betekent dat ieder schriftteken voor een klank staat (net als bij ons alfabet). Bij het kanji daarentegen staat elk teken voor een of meer begrippen. Japanners kunnen ook nog eens horizontaal of verticaal schrijven. Als ze in horizontale richting schrijven, gaan ze van links naar rechts en van boven naar beneden (net als wij), als ze in verticale richting schrijven, van boven naar beneden en van rechts naar links. In het Kanjischrift staan er geen spaties tussen de woorden (omdat ieder teken een woord op zich is), maar wordt alles aan één stuk door geschreven, zonder onderbrekingen!

PAM WIST NIET GOED WAAR ZE MOEST BEGINNEN!

あきうけちつぬえねとも

おめみまろれをわ

JAPANS WOORDENLIJSTJE

Er is veel tijd en passie nodig om Japans te leren, maar sommige kanji (de tekens zelf worden ook kanji genoemd) zijn niet moeilijk om te leren en met hulp van Violet en mijn miniwoordenboek heb ik in een mum van tijd een paar handige woordjes geleerd. Kijk maar!

konnichiwa: goedendag

konbanwa: goedenavond (na zonsondergang)

sayounara: tot ziens

arigato gozaimasu: bedankt (arigato betekent bedankt, gozaimasu maakt het extra beleefd)

douitashimashite: graag gedaan

oyasumi nasai: welterusten

hai: ja

iie: nee

WAT MOOI DIE KANJI!

海 UMI = ZEE

愛 AI = LIEFDE

月 TSUKI = MAAN

夜 YORU = NACHT

日 HI = ZON

風 KAZE = WIND

夏 NATSU = ZOMER

春 HARU = LENTE

冬 FUYU = WINTER

秋 AKI = HERFST

Matsuri zijn Japanse festivals waarmee bijvoorbeeld het wisselen van de seizoenen, de oogst en de bloei worden gevierd. Naast de Yosakoi zijn er nog veel meer festivals voor iedere regio, iedere tijd van het jaar en… voor iedere smaak. Dit zijn er enkele.

AWA ODORI

Dit uit 1587 stammende dansfestival wordt van 12 tot 15 augustus in **Tokushima** gehouden. De deelnemers zijn verdeeld in groepen mannen en groepen vrouwen. De mannen dragen grappige korte yukata's en de vrouwen kimono's en aparte, traditionele hoofddeksels. Al dansend paraderen ze door de straten van de stad, op het ritme van tamboerijnen en kleine snaarinstrumenten.

GION MATSURI

In de maand juli vindt in **Kyoto** de Gion Matsuri praalwagenoptocht plaats. De huizenhoge wagens zijn zo rijkelijk versierd met houtsnijwerk, gekleurde sculpturen en stoffen dat ze de naam "bewegende musea" verdienen. Op de wagens rijden muzikanten, verklede kinderen en marionetten mee.

TANABATA MATSURI

Dit festival wordt ook wel het "feest van de sterren" genoemd, en is te vergelijken met onze Valentijnsdag. Het Tanabatafestival is aan een oude legende gebonden: twee sterren, **Altair** en **Vega,** zijn verliefd op elkaar maar ze zijn gescheiden door de melkweg. Ze kunnen elkaar slechts één keer per jaar ontmoeten: op de zevende avond van de zevende maand, als eksters een brug over de melkweg vormen. Tijdens dit feest schrijven Japanners een wens of een gedicht op een langwerpig, gekleurd velletje papier, dat ze vervolgens aan een bamboestengel hangen. De lange stengels vol kleurige repen papier worden tanzaku genoemd.

SAPPORO YUKI MATSURI

Een jaarlijks terugkerend sneeuwfestival dat ieder jaar begin februari in **Sapporo** plaatsvindt. Het festival, dat een week duurt, stamt uit 1950, toen een paar studenten voor de lol grote sneeuwsculpturen gingen bouwen in een park. De bouwsels waren zo mooi dat anderen hun voorbeeld volgden, en al snel groeide het uit tot een traditie. Nu doen er ieder jaar kunstenaars uit de hele wereld aan mee. De bouwwerken van sneeuw en ijs die de stad versieren zijn soms wel 15 meter hoog en 25 meter breed.

HET POPPENFEEST

HINA MATSURI

Op **3 maart** wordt het poppenfeest gevierd, meisjesdag dus. In de huizen worden prachtige poppen uitgestald die personages aan het vroegere keizerlijke hof voorstellen. Er wordt een rood kleed (mousen) over een soort trapje gelegd. Op de bovenste tree staan de keizer en de keizerin, op de treden daaronder, op vaste plaatsen, de verschillende leden van de hofhouding.

Tijdens het feest wordt er **amazake** gedronken (zoete saké, rijstwijn zonder alcohol), en **arare** gegeten (crackers met sojasaus). Dé lekkernij is echter **hishimochi:** rijstcake met drie gekleurde lagen.

Thea Sisters

OP EN TOP THEA SISTERS

TRADITIONELE JAPANSE KUNSTWERKJES

ORIGAMI (ori = vouwen, gami = papier) is de eeuwenoude, Japanse kunst van het papiervouwen. Oorspronkelijk stamt de kunst uit China waar ook het papier uitgevonden is. De bekendste en oudste vouwsels stellen dieren en sterren voor.

Tegenwoordig wordt origami overal ter wereld beoefend en creëren kunstenaars uit alle landen de meest spectaculaire en ingewikkelde vouwsels.

Papiervouwen is echt muizenissig leuk! Er komt veel geduld en precisie bij kijken, maar gelukkig is Sakura een expert. Zij heeft me een paar heel eenvoudige figuren geleerd: probeer het zelf ook! NB. Kijk voor de vouwrichting en de manier waarop je het papier neerlegt steeds goed naar de plaatjes!

HM... MISSCHIEN MOET IK NOG WAT MEER OEFENEN

PAPIEREN KIKKER

1. Neem een vierkant groen papiertje en vouw het van links naar rechts dubbel. Vouw het dan weer open. Vouw het vierkantje ook van boven naar beneden dubbel en vouw het daarna weer open.

2. Vouw elke hoek van je vierkante papiertje naar het midden.

3. Vouw de rechter- en de linkerzijkant tegen de middenlijn.

4. Vouw het driehoekje aan de onderkant op de stippellijn naar boven.

5. Vouw beide onderste hoeken naar het midden zodat de hoeken elkaar in het midden raken.

6. Vouw het onderste gedeelte (op de aangegeven stippellijn) naar boven.

7. Vouw de bovenste helft van het onderste rechthoekje naar onderen (naar jezelf toe). Dit zijn de poten van je kikker.

8. Draai hem om en geef je kikker een hoofd door een stukje van de bovenkant naar achter te vouwen. Teken twee ogen en klaar is je kikker!

9. Om je kikker te laten springen druk je hem op het aangegeven kruisje naar beneden en laat je je vinger van de kikker afglijden.

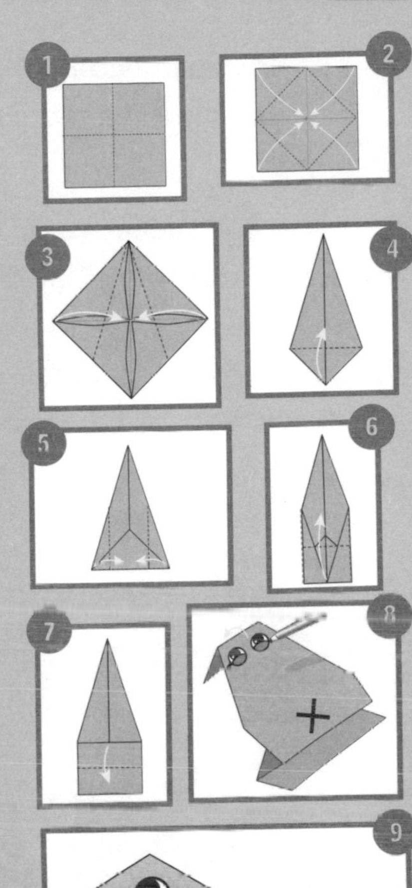

De poëzie van bloemen...

In Japan heb ik IKEBANA ontdekt: de oude kunst om bloemen mooi en harmonieus te schikken!

Ikebana is Japans voor "levende bloemen".
In de Japanse bloemsierkunst staan de takken, de bladeren en de bloemen symbool voor de mens, de hemel, de aarde, het verleden, het heden en de toekomst.
Bij een ikebana bloemstuk gaat het niet alleen om het mooie, maar vooral ook om de harmonie, binnen de compositie zelf en met de natuur.

... EN DE POËZIE VAN WOORDEN!

Een HAIKU is een heel kort gedicht dat rijk is aan betekenis. Een haiku hoort drie regels te hebben: één van vijf, één van zeven en weer één van vijf lettergrepen. Als een haiku in een andere taal wordt vertaald, is het vaak onmogelijk om aan dit schema vast te houden. Haiku's gaan over een bepaald seizoen en bevatten kigo's: woorden die symbool staan voor een jaargetijde, zoals bijvoorbeeld bloesem voor de lente en sneeuw voor de winter. Probeer zelf ook een haiku te maken!

Een van de beroemdste Japanse dichters was MATSUO BASHO. Zijn eerste bekende werk dateert uit 1662 na Chr. Eigenlijk heette hij Matsuo. Hij heeft daar zelf Matsuo Basho van gemaakt toen een van zijn leerlingen hem een bananenboom cadeau gaf (*basho* in het Japans). Deze grote dichter maakte vooral *renga*, langere gedichten die bestaan uit opeenvolgende haiku's, maar de grote populariteit van de haiku-gedichten hebben we aan zijn afzonderlijke haiku's te danken.

ACH OUDE
VIJVER
EEN KIKKER
SPRINGT ERIN
GELUID VAN
WATER

EEN HAIKU
VAN MATSUO BASHO

KIMONO!

De kimono is hét traditionele Japanse kledingstuk. Ooit werd het zowel door mannen als door vrouwen gedragen. De kimono voor vrouwen is ingewikkelder en sierlijker dan die voor mannen. Tegenwoordig wordt dit kledingstuk alleen nog voor feesten en officiële gelegenheden uit de kast gehaald!

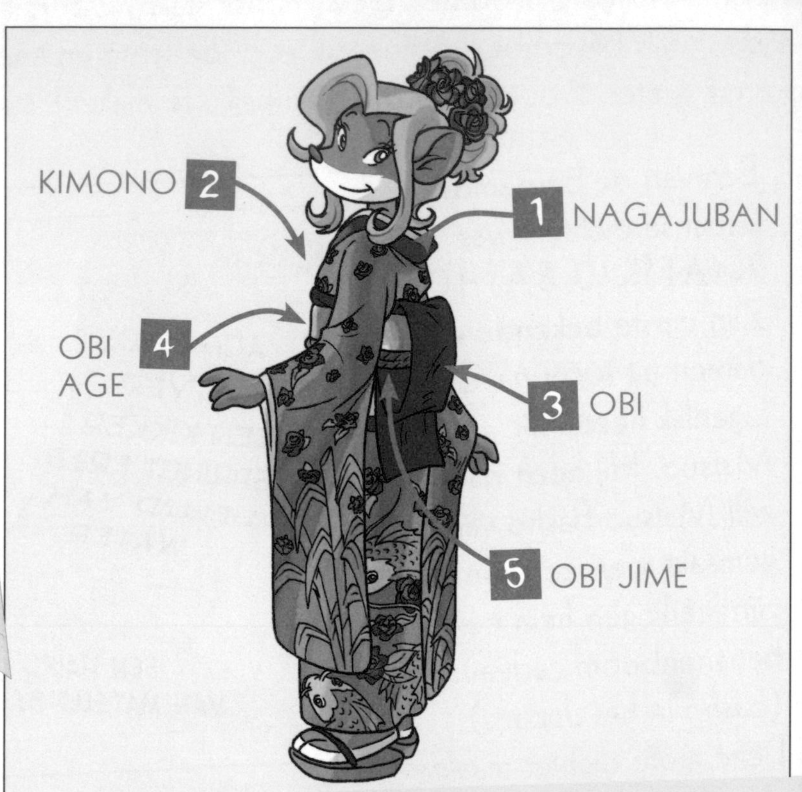

Een kimono bestaat uit een heleboel lagen stof en oneindig veel accessoires: voor iemand zonder ervaring is het geen eenvoudige opgave om hem aan te trekken.

1 De **nagajuban** is een zijden onderjurk die onder de kimono wordt aangetrokken. Van de nagajuban zijn alleen het kraagje en een stukje van de mouwen zichtbaar, die vaak passen bij de kleuren en de motieven van de kimono zelf.

2 De **kimono** is het bovenkledingstuk: een van heel kostbare stof gemaakte, versierde mantel of japon met wijde mouwen en een ceintuur.

3 De **obi** is een brede reep gekleurde stof die als ceintuur dient. Hiermee wordt ook de ingewikkelde sierstrik op de rug gemaakt, de musubi. Er zijn verschillende soorten strikken voor dit doel, maar de meest gebruikte is de **taiko-musubi** *("trommelstrik")* .

4 De **obi age** is een kostbaar, lang lint dat dient om de obi musubi op z'n plaats te houden. De obi age wordt aan de voorzijde mooi geknoopt en is meestal van gekleurde zijde.

5 De **obi jime** is de "finishing touch": het koord dat over de obi gestrikt wordt en hem helemaal 'af' maakt.

Onzichtbaar aanwezig!

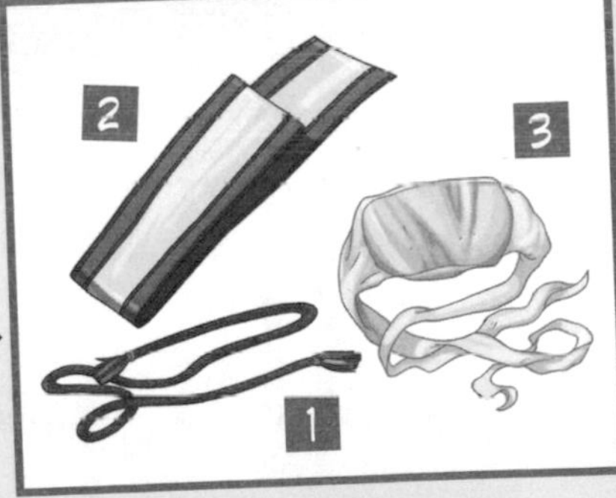

Sommige linten en andere onderdelen van de kimono zijn niet te zien maar wel heel belangrijk!

1) De **himo:** koordjes die dienen om de onderkleding op z'n plaats te houden.

2) De **date jime:** een lange reep stof die dient om de nagajuban en de kimono dicht te houden.

3) De **obi makura:** een klein kussentje om de ingewikkelde strikversiering op de rug op z'n plek te houden.

HET JAPANSE HUIS

Naar welke onderdelen (A, B, C, D en E) van onderstaande tekening verwijzen de volgende beschrijvingen (1, 2, 3, 4 en 5)? De oplossing staat rechts onderaan, op z'n kop.

1

De **genkan** is de ingang. In deze ruimte, die lager ligt dan de rest van het huis, doet men z'n schoenen uit, om de vloer niet vies te maken.

B

E

2 Het traditionele Japanse bed, de futon. Het bestaat uit twee delen: de shikibuton, een matras, en de kakebuton, een sprei. De futon hoort op een tatami-mat te liggen.

3 **Fusuma** zijn schuifbare deuren of wanden. Ze bestaan uit een houten frame dat aan twee zijden bespannen is met stevig, vaak beschilderd papier of met stof.

4 De fusuma-shoji (of simpelweg **shoji**) zijn schuifbare deuren, wanden of ramen met het typische houten rasterwerk. Ze zijn aan één kant bespannen met doorschijnend rijstpapier.

5 Op de vloeren in de traditionele Japanse huizen liggen tatami, vloermatten van geperst **rijststro,** bedekt met een laag van geweven gras en omrand met stof. De tatami werken isolerend en zijn bovendien erg comfortabel.

De oplossing: 1:E; 2:A; 3:D; 4:C; 5:B.

SUDOKU... WAT EEN GEDULD!

Sudoku is een cijferspelletje waarbij je niet hoeft te rekenen! Al omstreeks 1700 legde de Zwitserse wiskundige Euler de basis voor dit spel, maar pas sinds enkele tientallen jaren heeft Sudoku de vorm die wij kennen. In 1984 liet het tijdschrift *"Monthly Nikolist"* de Japanse lezers kennismaken met het spel. Sindsdien is het aantal sudoku-liefhebbers in een snel tempo toegenomen, en is het uitgegroeid tot een van de bekendste cijferspelletjes, en niet alleen in Japan.

De regels

De puzzel bestaat uit een veld van negen bij negen vakjes, die weer onderverdeeld zijn in 9 blokjes van drie bij drie (te herkennen aan de dikkere lijnen). In ieder blokje staan al een paar cijfers (van 1 t/m 9) ingevuld. De kunst is om, volgens twee eenvoudige regels, alle ontbrekende cijfers in te vullen:

A) De speler mag alleen de cijfers 1 t/m 9 gebruiken.

B) In iedere horizontale regel, in ieder blokje en in iedere verticale kolom moeten alle cijfers één keer voorkomen, niet meer en niet minder.

PROBEER ZELF OOK EENS EEN SUDOKU OP TE LOSSEN!

Vul alle lege vakjes in, maar let erop dat je in iedere rij, iedere kolom en ieder blok alle cijfers maar één keer gebruikt!

9	1	~~9~~
7	3	8
5	6	4

FOUT: TWEE KEER HETZELFDE CIJFER IN ÉÉN RIJ (EN BLOKJE)!

9	1	2
7	3	8
5	6	4

GOED: ALLEMAAL VERSCHILLENDE CIJFERS!

7	3		1	2		5	6	
						3		4
8		2	5			1		9
		3			2			6
5			4	1		9		
	9				8			7
		7		9				
9	5				1			3
1	2	4	3			7	9	

De oplossing kun je achterin het boek vinden.

Koken met zeewier

De belangrijkste smaakmakers in de Japanse keuken zijn: SUIKER (sato), ZOUT (shio), AZIJN (su), SOJASAUS (shoyu) en MISO, een zoute pasta van gegiste sojabonen en rijst of gerst.

In de Japanse keuken wordt veel gebruik gemaakt van zeewier. Het is een rijke bron van eiwit, vitamines en mineralen! Er bestaan verschillende soorten eetbaar zeewier, zoals **wakame** en **nori.**

MISOSOEP

Laat je bij het koken helpen door een volwassene!

INGREDIËNTEN: 1 kopje water; 1 lepe miso (of evt. marmite); 1 stukje wakan (2 cm); 1 stukje gember; 1 ui.

BEREIDING: maak het zeewier fijn en laat het tien minuten weken in koud water. Snijd de ui fijn en breng hem, samen met het zeewier, zachtjes in het water aan de kook. Rasp de gember en pers het raspsel tot sap. Als het water kookt het vuur uitzetten en de miso toevoegen. Laat de soep vijf minuten trekken en doe er vóór het opdienen een theelepel gemberwortelsap bij.

Maki sushi: onweerstaanbaar lekkere zeewierrolletjes met vulling

In Japan moet het eten niet alleen lekker zijn, het moet er ook... mooi uitzien! Verras je vrienden met heerlijke maki sushi, maar vraag wel een volwassene om je bij het koken te helpen!

INGREDIËNTEN: VOOR 2 PERSONEN: 360 gram witte rijst; gedroogde plakken nori (te vinden in winkels voor oosterse producten en goed gesorteerde supermarkten; een halve, in dunne reepjes gesneden, komkommer; blikje tonijn in olie; een halve in reepjes gesneden avocado; surimi (pasta van fijngehakte koolvis) of krabvlees; mayonaise.

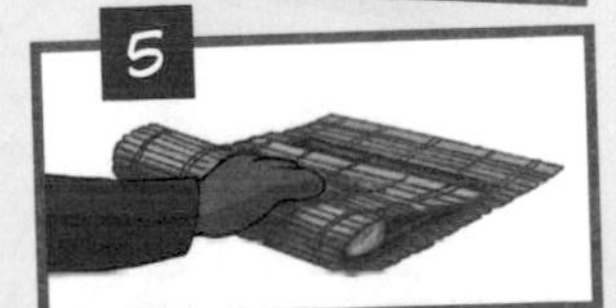

1. Kook de rijst goed gaar.
2. Leg een gedroogd nori-vel op een (ietwat bevochtigd) makisu (bamboematje) of op een vel ovenpapier.
3. Bedek de nori met een dun laagje rijst, maar laat boven en onder een randje van 1,5 cm vrij.
4. Leg in het midden óf de avocadoreepjes en de surimi, met wat mayonaise, óf de komkommerreepjes en wat tonijn.
5. Rol met behulp van de makisu het nori-vel strak op (houd met je vingers aan de zijkanten de vulling op zijn plaats).
6. "Plak" de naad voorzichtig dicht met wat water. Snijd met een scherp mes (laat je door een volwassene helpen) de rollen in plakjes.

EET SMAKELIJK.

KUMIHIMO

De mode uit het verleden

kumihimo

Wat kun je veel maken met een kumihimo-koord!

Om ingewikkelde kumihimo te maken, heb je een speciaal, houten vlechttoestel nodig, maar het is niet moeilijk om zelf leuke koordjes te vlechten. Je kunt er bijvoorbeeld armbandjes, sleutelhangers of halskoordjes voor jezelf of voor je vriendinnen van maken.

Maak je eigen **kumihimo disc** (vlechtschijf) voor een eenvoudig koordje van acht gevlochten draadjes: een kartonnen schijf met 32 kleine inkepingen, op gelijke afstand van elkaar, langs de rand en een gaatje in het midden. Er zijn ook kant-en-klare, rubberen kumihimo discs verkrijgbaar.

1. Knip vier draden van dezelfde lengte, houd de uiteinden precies bij elkaar en knoop ze in het midden samen.

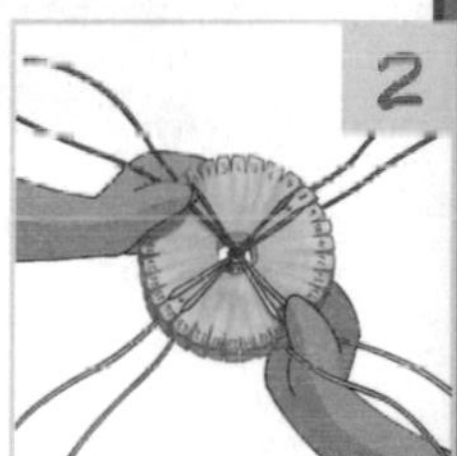

2. Haal de acht draden door het gat, (de knoop moet achter het gaatje blijven) en zet ze vast in de inkepingen, vier keer twee naast elkaar (met steeds zes vrije inkepingen ertussen dus).

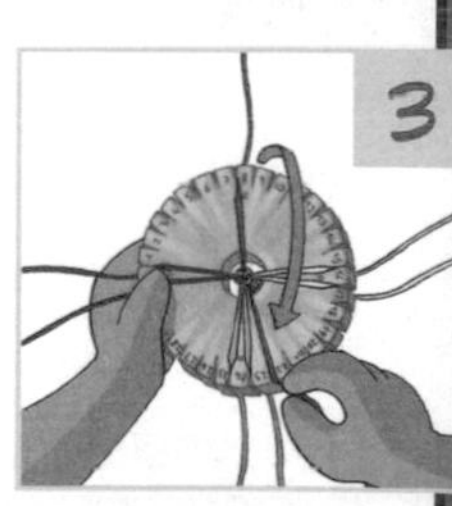

3. Pak het draadje rechtsboven, breng het naar de eerste vrije inkeping rechtsonder, en zet het vast (zie plaatje).

4. Doe hetzelfde met het draadje linksonder, dat je naar linksboven brengt en vastzet in de eerste vrije inkeping linksboven. Draai de schijf een kwartslag in de richting van de klok en herhaal punten 3 en 4. Let steeds op dat je draden niet in de knoop raken.Ga net zo lang door tot de draadjes op zijn: beetje bij beetje zul je onder je schijf je kumihimo zien groeien!

4

Spelletjes

KUMI IS EEN WARE STER IN TRADITIONELE JAPANSE SPELLETJES: ZE HEEFT ONS ALLE SPELLETJES GELEERD DIE ZE ALS KIND DEED, OF LIEVER GEZEGD... GEPROBEERD ONS TE LEREN!

AYATORI (touwfiguren)

Over de hele wereld maken kinderen sinds jaar en dag touwfiguren. Je neemt een dun koordje of touwtje (minstens twee keer zo lang als je arm), knoopt de uiteinden aan elkaar en spant het om je vingers tussen je handen. Iemand anders of jijzelf pakt het touwtje vervolgens met zijn vingers op een bepaalde manier over. In verschillende stappen kunnen er honderden verschillende figuren worden gemaakt (strijkplank, vuurtoren, haarnetje, kop en schotel, het geheim van de smid).

OTEDAMA

Otedama is een heel oud Japans meisjesspelletje. Het is een soort jongleren, maar dan met dichtgenaaide zakjes bonen, die ojami genoemd worden.

Leuke wedstrijdjes

DARUMA OTOSHI

Bij dit spel is het de kunst om met een hamertje tegen een torentje van houten schijfjes te slaan zonder dat de toren omvalt: onderaan beginnend moet je de vijf schijfjes één voor één wegslaan. Bovenop de "toren" staat het boze hoofd van Daruma!

KENDAMA

Is een balvangspel in de vorm van een hamertje. De hamerkop heeft twee holle zijkanten en een punt in het midden. Aan de kendama is met een touwtje een balletje met een gat erin bevestigd. De kunst is om het balletje op de holle zijkanten of de punt op te vangen.

JANKEN

Met de hand gespeeld spelletje dat wij kennen als "steen, papier, schaar". Twee spelers staan tegenover elkaar, zeggen jan ken po en maken dan één van de drie handgebaren: een vuist (gu = steen), twee uitgestoken vingers (choki = schaar) of vlakke hand (pa = papier). Wie een vuist maakt wint van wie twee vingers uitsteekt (de steen maakt de schaar bot). Wie twee vingers uitsteekt, wint van de vlakke hand (schaar knipt papier). Vlakke hand wint van vuist (de steen wordt in papier verpakt).

Weetjes over het land van de rijzende zon

Wat leer je veel verschillende gebruiken kennen als je een ander land bezoekt! Japan is een ware goudmijn van wetenswaardigheden. Ontdek ze samen met ons!

In Japan wordt veel aandacht besteed aan het welzijn van de werknemers, dus... waarom niet een beetje gymnastiek vóór het werk?
In veel bedrijven verzamelt het personeel zich dan ook in de tuin van het gebouw waar ze werken om wat eenvoudige oefeningen te doen, vaak op het ritme van muziek!

Een sympathiek vriendje van de Japanse kinderen is **Teru Teru Bozu:** een poppetje van witte stof met een groot, rond hoofd. Als de lucht betrekt, hangen de kinderen zo'n poppetje buiten, in de hoop dat het de regen uit de buurt houdt.

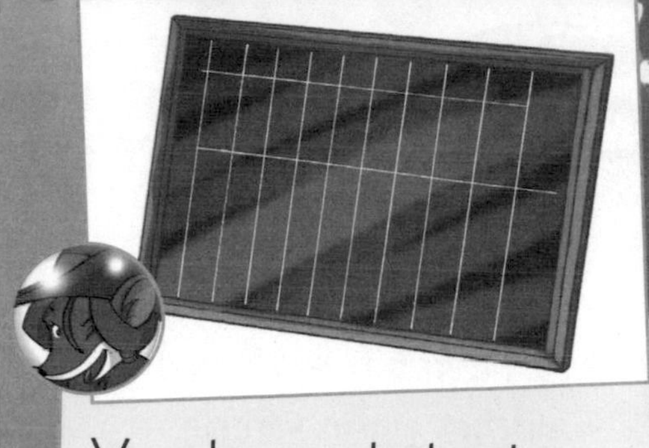

Voordat er mobiele telefoons bestonden, maakten de Japanners gebruik van een heel slim systeem om berichten voor hun vrienden en familie achter te laten: schoolbordjes op het station! In de trein- en metrostations kun je nog steeds de **ekinodengonban** aantreffen: schoolbordjes en krijtjes ter beschikking van de passagiers. Handig hè?!

DE ZOETE BROODJES VAN HET HELDHAFTIGE ANPAN-MANNETJE

Anpan zijn zoete broodjes met een vulling van rode bonen. Er zit een bijzonder verhaal achter deze smakelijke broodjes: rond het einde van de negentiende eeuw ontstond het moderne Japan. In de nieuwe maatschappij was geen plaats meer voor de samoerai. Steeds meer oude, Japanse tradities werden beïnvloed door nieuwe, westerse gebruiken. **Yasubei Kimura** was een samoerai die een nieuwe tijdsbesteding zocht. Hij besloot de westerse broodtraditie te combineren met ingrediënten uit de Japanse keuken: *sakadane-gist* en sojabonen. En zo ontstonden de *anpan!*

MENEER NAKAMURA HEEFT ONS EEN FLINKE SCHAAL MET ANPAN VOORGEZET. DIE LEKKERE BROODJES BEWIJZEN MAAR WEER EENS DAT UIT DE ONTMOETING VAN TWEE CULTUREN VEEL GOEDS KAN VOORTKOMEN!

Kinderen zijn zo dol op anpan dat de schrijver **Takashi Yanase** in 1968 het personage **Anpanman** verzon. Samen met zijn vrienden verdedigt Anpanman de aarde. Zijn hoofd heeft de vorm van een anpan en hij is inmiddels net zo geliefd bij de kinderen als het broodje zelf.

VRAAG EEN VOLWASSENE OM JE TE HELPEN BIJ HET BAKKEN!

INGREDIËNTEN VOOR 11 ANPAN:
300 gram meel; 2 theelepels bakpoeder; 40 gram suiker; 1 ei; 50 cl. water; een theelepel zout; 45 gram boter; 330 gram rode jam , stroop voor versiering.

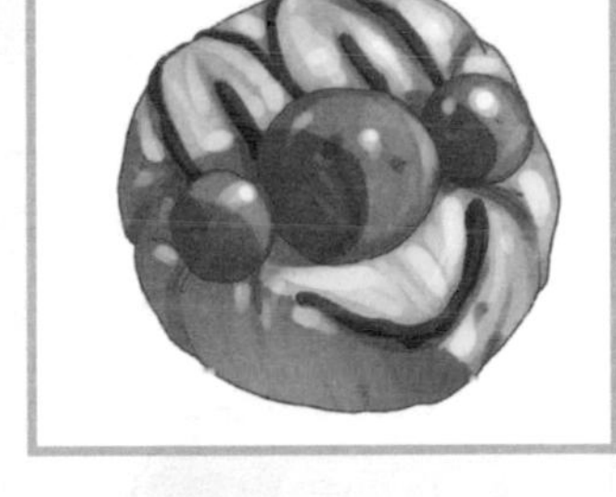

BEREIDING: Verwarm de oven voor op 200° C. Meng het meel met de bakpoeder, de suiker, het zout, water en de helft van het ei. Kneed het deeg ongeveer 5 à 10 minuten. Voeg beetje bij beetje de boter toe en kneed het deeg nog eens 5 à 10 minuten (het deeg moet niet plakkerig zijn). Laat het deeg 15 minuten staan, en maak er dan 12 balletjes van. Laat deze 10 minuten rijzen en rol dan elf balletjes uit tot vierkante lapjes. Dit wordt de basis van de gezichtjes. Bedek de lapjes in het midden met een beetje jam en vouw de randen naar het midden dicht zodat het een rondje wordt. Maak van het twaalfde balletje 11 x 3 kleine balletjes voor de wangen en de neus van je gezichtje! Laat de deeggezichtjes nog 15 minuten rijzen. Bak de anpan in de oven ca 25 minuten tot ze een mooi goudbruin kleurtje hebben. Teken er met de stroop ogen en een mond op en klaar is je Anpanman! Let op: laat de broodjes afkoelen voor je ze eet, anders brand je je mond aan de vulling!

Colette's schoonheidsadviezen

Het is echt zalig om een bad te nemen in de onsen, de Japanse thermen! Het liefst zou ik het elke dag doen. Maar ook een gewoon warm bad dat verrijkt is met mineralen kan ontspannend en verkwikkend zijn! Verwen jezelf, net als ik, met een schoonheidsbad! Een paar tips:

- Het badwater mag niet te heet zijn.
  Neem na het bad even een koude douche, om de bloedsomloop te stimuleren.
- Badschuim kan de huid irriteren of uitdrogen: spoel je dus altijd goed af na een bad!
- Maak je bad compleet met een schoonheidsmasker op je gezicht of een voedend haarmasker: de ontspannende werking van het bad en de stoom verdubbelen het effect!

Diamanten van... zout!

In Japan heb ik een ware schat ontdekt: een zakje badzout! Deze kleine zoutkorrels bevatten alle eigenschappen van het Japanse thermale water. Je hoeft ze alleen maar in het warme badwater op te lossen om je in een onsen te wanen!

Een kimono voor ieder seizoen

De gekleurde motieven op de kimono's variëren van seizoen tot seizoen. Vaak zijn het motieven uit de natuur zoals bloemen, bladeren, fruit of dieren, om de idee van harmonie tussen de mens en de natuur weer te geven. Iedereen heeft z'n eigen, speciale manier om in harmonie met zijn omgeving te leven: kies welke van de kimono's die de Thea Sisters dragen jij het mooist vindt en ontdek jouw manier!

Sla de bladzijde om voor de uitslag.

DE HARMONIE VAN HET LICHT

Je bent altijd in beweging en vindt rust en harmonie in de meest woeste elementen van de natuur. Een storm of een wilde branding schrikken je niet af, maar geven je juist energie.

DE HARMONIE VAN HET BOS

De stilte van het bos en het geritsel van de blaadjes: dat zijn de elementen die jou het gevoel geven dat je één bent met de natuur! Je denkt goed na voor je iets doet, maar je bent wel degene die met de juiste oplossing komt als het nodig is!

DE HARMONIE VAN DE OCEAAN

De zee is net zo diep als jouw gedachten en je verbergt oneindig veel schatten in je! Gelukkig weet jij altijd hoe je deze schatten het best met je vrienden kunt delen.

De harmonie van de bloemen

Voor jou komt gevoel altijd op de eerste plaats. Bij het zien van een schitterende zonsondergang luister je naar je hart en loop je over van geluk!

De harmonie van het fruit

Je houdt van het leven en probeert graag al zijn smaken uit: zoet, zout en soms ook zuur! Een nieuwe smaak, een felle kleur… en je bent in vrede met de wereld!

SPEL

KUMI! KUMI! KUMI!

Een jonge liefhebster van Japanse tradities, een modelleerlinge, een hippe muizin: Kumi is het allemaal, maar nu zit alles door elkaar! Wat een ramp!
Help haar om haar looks in orde te krijgen: vind de juiste letter en het juiste symbool bij de cijfers 1, 2 en 3!

Oplossing!

DIT IS DE JUISTE OPLOSSING VAN DE SUDOKU! DEZE PUZZELS ZIJN BIJ ONS INMIDDELS OOK HEEL POPULAIR. JE KUNT ZE IN KRANTEN, TIJDSCHRIFTEN EN PUZZELBOEKJES VINDEN, DUS MOGELIJKHEDEN GENOEG OM JE ERIN TE OEFENEN, ALS JE HET LEUK VINDT!

7	3	9	1	2	4	5	6	8
6	1	5	8	7	9	3	2	4
8	4	2	5	6	3	1	7	9
4	7	3	9	5	2	8	1	6
5	6	8	4	1	7	9	3	2
2	9	1	6	3	8	4	5	7
3	8	7	2	9	5	6	4	1
9	5	6	7	4	1	2	8	3
1	2	4	3	8	6	7	9	5

Oplossing!

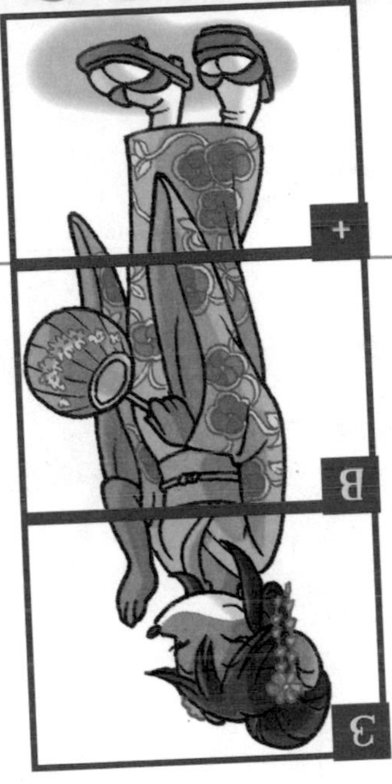

KUMI EINDELIJK COMPLEET!

KEN JIJ DE BOEKEN VAN

KATTENKLAUW III, DE ZWARTE ZEEROVER

Derde generatie van de Kattenklauw dynastie. Hij houdt heel Katteneiland in een ijzeren greep. Het is een verwaande zelfingenomen kat, gierig bovendien, en niet al te snugger. Je kunt zo wel zien dat hij dol is op lekker eten. Hij woont met zijn hele familie in het Keizerlijk Fort.

OSCAR TORTUGA AL?

Oscar Tortuga is verfijnd en elegant en heeft een hekel aan onrechtvaardigheid. Maar hij is ook de beroemdste schrijver van Katteneiland. Hij schrijft superspannende verhalen over de piratenkatten, vooral over zijn neef Kattenklauw III en diens pogingen om rijk te worden en om Geronimo te pakken te krijgen. Of dat Kattenklauw lukt, lees je in de katzinnige boeken van Oscar Tortuga.

Oscar Tortuga
Oscar Tortuga is de beste journalist van heel Katteneiland. Hij is altijd op het spoor van het laatste nieuws, voor de krant die hij zelf uitgeeft: De Krijsende Kater.
Hij is een volle neef van Kattenklauw III, de Zwarte Zeerover.

JOE CARROT

Hij heeft koppie-koppie, hij is dapper,
hij is detective, hij is JOE CARROT!
De enige echte! En dit is zijn eerste boek

Onze held, Joe Carrot, krijgt te maken met de heks Wrevelina. Doodsbenauwde konijnen menen haar in de buurt van de ***VALLEI DER RILLINGEN*** op een bezemsteel te zien rondvliegen, steeds om één minuut voor middernacht. Ze maakt angstaanjagende geluiden, laat akkers onderlopen en vuurballen aan de horizon verschijnen. Joe Carrot gaat op onderzoek uit, want hij wil niet alleen zijn medekonijnen helpen, hij gelooft er geen snars van.
Heksen bestaan niet! Of wel?

Op een ochtend krijgt Joe Carrot belangrijk bezoek. Niemand minder dan Timmy Turbo, de aller-beroemdste formule-1 rijder van de hele archipel, geeft Joe de opdracht om op zijn raceauto, de Vuurpijl, te passen. Daar zijn de laatste tijd wat rare mankementen aan, die niet te verklaren zijn en Timmy vermoed kwade opzet. Grote kroten! Dat is nog eens een super opdracht! Lukt het Joe Carrot om de boef te vinden die de Vuurpijl onklaar maakt? Dat kan je lezen in dit spannende tweede deel van de serie, waarin je ook nog eens van alles over formule-1 racen te weten komt!

Geronimo Stilton

Serie:

1. Mijn naam is Stilton, Geronimo Stilton
2. Een noodkreet uit Transmuizanië
3. De piraten van de Zilveren Kattenklauw
4. Het geheimzinnige geschrift van Nostradamuis
5. Het mysterie van de gezonken schat
6. Het raadsel van de Kaaspiramide
7. Bungelend aan een staartje
8. De familie Duistermuis
9. Echte muizenliefde is als kaas…
10. Eén plus één is één teveel
11. De glimlach van Lisa
12. Knagers in het donkere woud
13. Kaas op wielen
14. Vlinders in je buik
15. Het is Kerstmis, Geronimo!
16. Het oog van Smaragd
17. Het spook van de metro
18. De voetbalkampioen
19. Het kasteel van markies Kattebas
20. Prettige vakantie, Stilton?!
21. Een koffer vol spelletjes
22. De geheimzinnige kaasdief
23. Een weekend met een gaatje
24. Halloween: lach of ik schiet
25. Griezelquiz op leven en dood
26. Gi-ga-geitenkaas, ik heb gewonnen!
27. Een muizenissige vakantie
28. Welkom op kasteel Vrekkenstein
29. De rimboe in met Patty Spring!
30. Vier knagers in het Wilde Westen
31. Geheime missie: Olympische Spelen
32. Het geheim van Kerstmis
33. De mysterieuze mummie
34. Ik ben geen supermuis!
35. Geheim agent Nul Nul K
36. Een diefstal om van te smullen
37. Red de witte walvis!
38. De indiaan met het gouden hart

ALLE BOEKEN ZIJN TE KOOP IN DE BOEKHANDEL OF TE BESTELLEN VIA DE WEBSITE.

Ook verschenen:

* De avonturen van Odysseus
* De grote invasie van Rokford
* Fantasia
* Fantasia II - De speurtocht naar het geluk
* Fantasia III
* Fantasia IV - Het drakenei
* Fantasia V
* Het boekje over geluk
* Het boekje over vrede
* Het ware verhaal over Geronimo Stilton
* Knaag gezond, Geronimo!
* Knutselen met Geronimo & co
* Koken met Geronimo Stilton
* Reis door de tijd
* Reis door de tijd 2
* Schimmen in het Schedelslot (Of: Het geheim van dapper zijn)
* Tussen gaap en slaap

Stripboeken Geronimo Stilton:

1. De ontdekking van Amerika
2. Het geheim van de Sfinx
3. Ontvoering in het Colosseum
4. Op pad met Marco Polo
5. Terug naar de ijstijd

Klassiekers:

* De drie muisketiers (NL) / De drie musketiers (BE)
* De reis om de wereld in 80 dagen
* Het jungleboek
* Het zwaard in de steen (NL) / Koning Arthur (BE)
* Onder moeders vleugels
* Schateiland (NL) / Schatteneiland (BE)

1. De bende van Ratstad
2. De invasie van de megamonsters

Thea Stilton

1. De Drakencode
2. De Thea Sisters op avontuur
3. De sprekende berg
4. De Thea Sisters in Parijs
5. De verborgen stad
6. Het ijzingwekkende geheim
7, Het mysterie van de zwarte pop

Stripboeken van Thea Stilton:

1. De orka van Walviseiland
2. De schat van het Vikingschip

Oscar Tortuga

1. Losgeld voor Geronimo
2. Wie wint Geronimo? (Om op te eten...)
3. De schat van kapitein Kwelgeest
4. Blijf met je poten van mijn goud af!

JOE CARROT

1. Eén minuut voor middernacht
2. De vuurpijl
3. De ongrijpbare Rode Klauw

Overig:

* Geronimo Stilton - Dagboek
* Geronimo Stilton - T-shirt met chocoladegeur
* Geronimo Stilton - Verjaardagskalender
* Geronimo Stilton - Vriendenboek

N
Z
25
6
2
1
5
24
3
7
11
21
23
9
22
10
14
11
19
13
18
20
12
4
15
16
17
WALVISEILAND

Walviseiland

1. Valkenpiek
2. Sterrenwacht
3. Lawineberg
4. Zonnepanelen-installatie
5. Bokkenvlakte
6. Stormpunt
7. Schildpaddenstrand
8. Zanderige Strand
9. Topford College
10. Slakkenrivier
11. "De Antieke Geitenkaasmakerij": herberg en zetel van "Rattenvaart- Zeetransport"
12. Haven
13. Huize Inktvis
14. Zanzibazaar
15. Vlinderbaai
16. Mosselpunt
17. Vuurtorenrots
18. Aalscholverrotsen
19. Nachtegalenbos
20. Villa Marea: laboratorium voor zeebiologie
21. Valkenbos
22. Windgrot
23. Zeehondengrot
24. Meeuwenklipper
25. Ezeltjesstrand

Tot ziens bij het volgende avontuur!

TOPFORD
COLLEGE